JUMBO
WORD SEARCH
PUZZLE BOOK

THE HITS

ATTACK	KRAKOOM
BLAM	SMACK
BOOM	POW
BUZZ	SMASH
CLANG	THOK
CRACK	THOOM
CRASH	THUMP
CRUNCH	WHAM
FABOOM	ZAMM
FIZZ	ZING

WAKANDA FOREVER

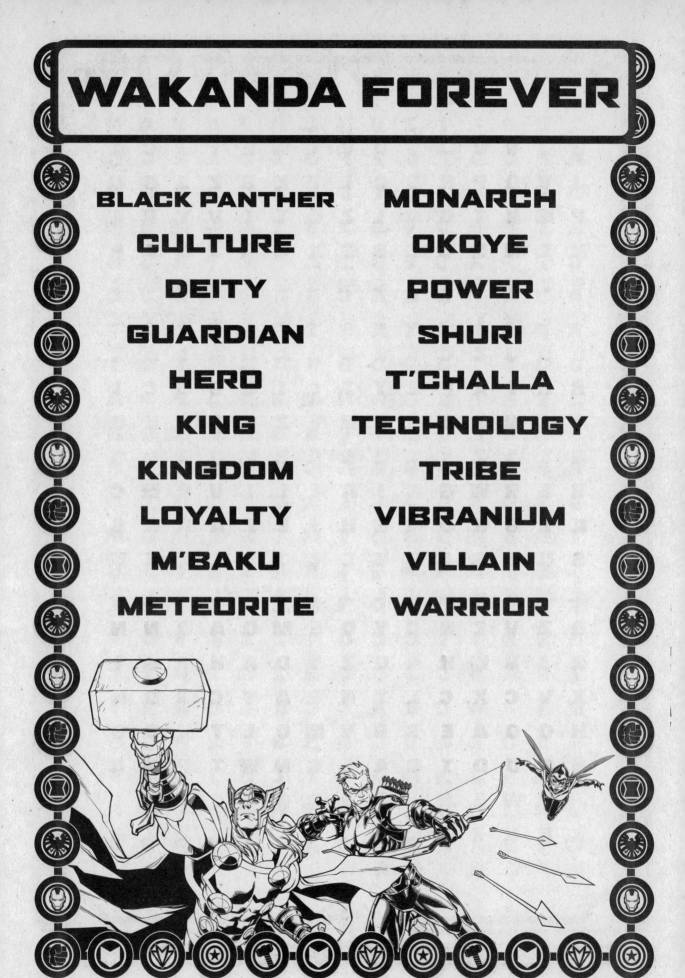

BLACK PANTHER   MONARCH

CULTURE   OKOYE

DEITY   POWER

GUARDIAN   SHURI

HERO   T'CHALLA

KING   TECHNOLOGY

KINGDOM   TRIBE

LOYALTY   VIBRANIUM

M'BAKU   VILLAIN

METEORITE   WARRIOR

CAPTAIN AMERICA

AMERICA
ARMY
AVENGER
BOOM
CAPTAIN
FLAG
HERO
HYDRA
PATRIOT
RED SKULL
SERUM
SHIELD
SOLDIER
STEEL

STEVE ROGERS
STRENGTH
STRONG
SUPER HERO
WAR
WINTER SOLDIER

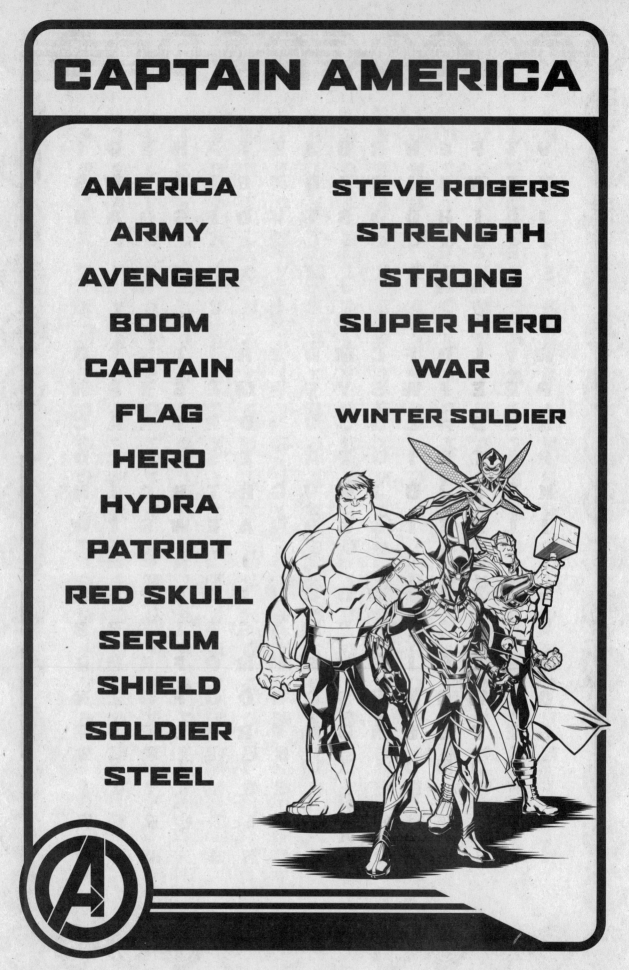

F I R M W X U B E R G O W U F
V T F E H R B J E T A H E U I
K B W A I U J D K B L T P W S
J A I H D D S T V O F G O A H
T B E Q T K L C V O O N I N I
B N W W U X J O C M M E R I E
U V Y L C C P T S Z U R A A L
W Y L D F C M D Y R I T R T D
P B E F W S Y F P M E S U P W
K S D A L Q J V R D R T R A C
P A T R I O T A E E S A N C D
K Y J J U J W V G H T B C I N
I L E E T S G Q N A E W S T W
S P W O R E H X E I V A U U K
Y V Z R D W O B V T E L P E W
A H A C I R E M A G R I E B B
S O L D I E R R M N O F R H K
Q L W R X V S D B O G F H Z N
G E T S E R U M F R E L E F F
R C Q N O I X W H T R I R X R
M G M Y N B O X R S S K O U L
S Z A T F V X L H A R D Y H Y

THOR

ASGARD	LOKI
DIMENSION	NINE REALMS
EARTH	ODIN
FANDRAL	RAGNAROK
GAEA	SOKOVIA
GALACTUS	SPEED
GOD	STRENGTH
HAMMER	SURTUR
HELA	THANOS
LIGHTNING	THUNDER

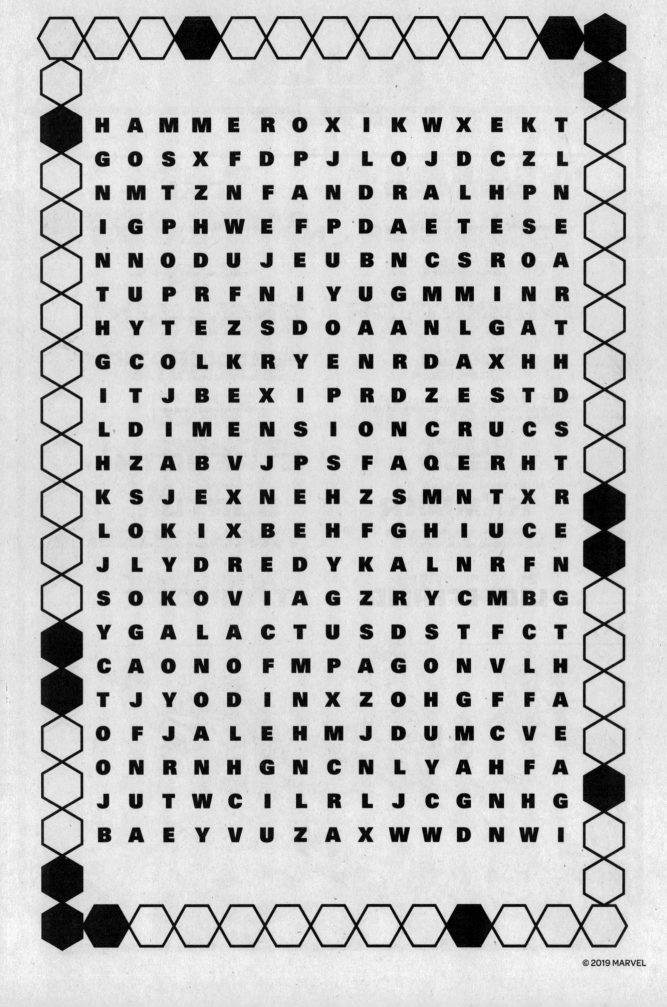

```
H A M M E R O X I K W X E K T
G O S X F D P J L O J D C Z L
N M T Z N F A N D R A L H P N
I G P H W E F P D A E T E S E
N N O D U J E U B N C S R O A
T U P R F N I Y U G M M I N R
H Y T E Z S D O A A N L G A T
G C O L K R Y E N R D A X H H
I T J B E X I P R D Z E S T D
L D I M E N S I O N C R U C S
H Z A B V J P S F A Q E R H T
K S J E X N E H Z S M N T X R
L O K I X B E H F G H I U C E
J L Y D R E D Y K A L N R F N
S O K O V I A G Z R Y C M B G
Y G A L A C T U S D S T F C T
C A O N O F M P A G O N V L H
T J Y O D I N X Z O H G F F A
O F J A L E H M J D U M C V E
O N R N H G N C N L Y A H F A
J U T W C I L R L J C G N H G
B A E Y V U Z A X W W D N W I
```

ABOMINATION	FORCE
ANGER	GAMMA RAYS
AVENGER	GREEN
BANNERTECH	ONSLAUGHT
BASH	REGENERATION
BRUCE BANNER	SMASH
BUST	STRENGTH
CRUSH	TEAM
DESTROY	TRANSFORM
DOCTOR	VIOLENT

```
C A A Y B A N N E R T E C H P
Z D K B R U C E B A N N E R N
G G H M V A S F L H J H V X O
I S T R E N G T H T X A P V I
D Q S J H L Z F F Y Z B L V T
H H G Y Z O N S L A U G H T A
S P R J N J H E A L T H Z M R
A F E B E W U H L J Y S Y O E
B Y E E A I O R G N G U O D N
H M N P I B E G F A X R R V E
D P P Y E G O M M U G C T X G
Q W D Z N P A M C R O E S L E
M Q S E P E A V I E E I E I R
U T V V T R L I Q N Z G D P J
D A M E A E C O B R A Z N T U
Q P K Y F A U L Q O P T J A B
T X S T H R I E T T L Z I W V
Y F L K Q S O N X C E C R O F
S W W G W D A T Z O R A Z W N
R E G X T E N M O D M B A E S
T J M I L B S A S J E C X Y M
M R O F S N A R T H R Z H C L
```

IRON MAN

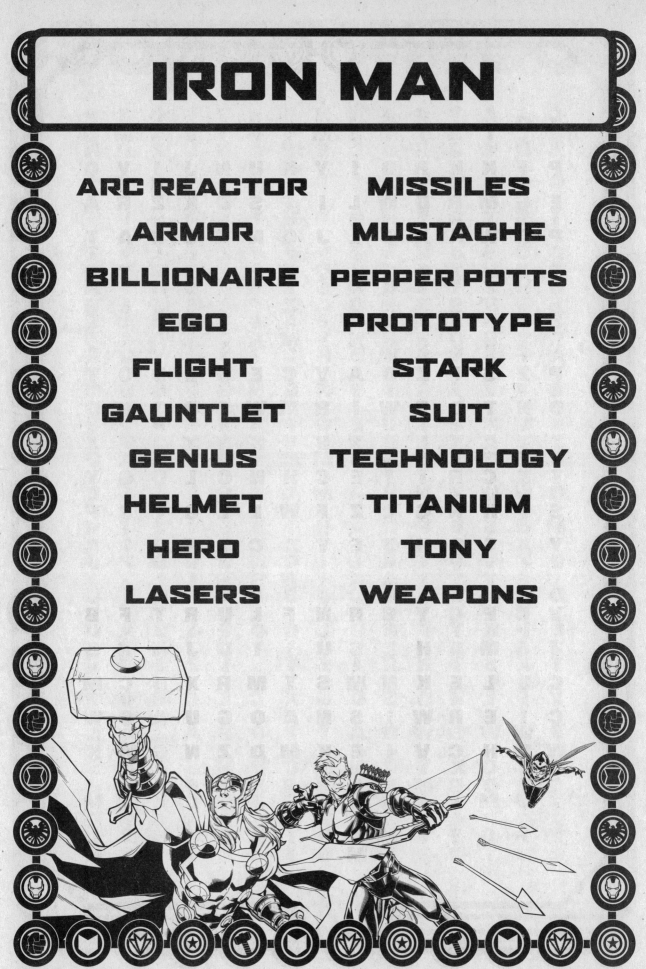

ARC REACTOR	MISSILES
ARMOR	MUSTACHE
BILLIONAIRE	PEPPER POTTS
EGO	PROTOTYPE
FLIGHT	STARK
GAUNTLET	SUIT
GENIUS	TECHNOLOGY
HELMET	TITANIUM
HERO	TONY
LASERS	WEAPONS

VILLAINS

ABOMINATION

BARON ZEMO

ENCHANTRESS

IMMORTUS

KANG

KLAW

LOKI

MAESTRO

MANDARIN

MEPHISTO

M.O.D.O.K.

RED SKULL

RONAN

SKRULLS

SURTUR

TASKMASTER

THANOS

ULTRON

VIPER

WHIPLASH

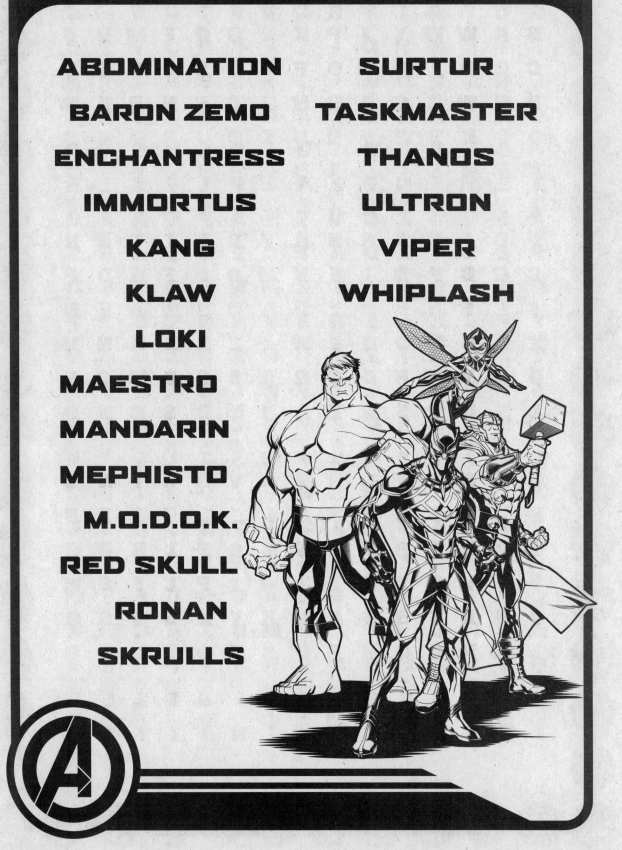

W H I P L A S H Z U H H O I V
B A W W Y J P K L G O F M U F
C O H I M M O R T U S C D S B
B U W Z Q A G N U C B N R U M
O D H S R N N X S C J R D R O
X A U Y O D A R G B Z C E T D
I V A W N A K D T A Q N H U O
F C I V A R H K Y R L T T R K
C G B P N I E V M O L F A D P
I T F R E N Y P A N U W S E N
K H U M O R F W J Z K X K N V
O A Y E R D G N S E S C M C F
L N U P S N Z O V M D S A H P
M O B H R X Y I F O E K S A P
O S D I Y N H T K Y R R T N C
H R N S U J X A L O L U E T R
G U L T R O N N A Q Y L R R G
F J V O Z O I I W I P L T E N
O O R T S E A M R Y K S Q S Q
L R N C Q B F O R T O L N S R
Y I H Z P Z N B N N N G C T L
O S P P H Q M A G Z O F B F I

DEFENSE

AMMUNITION   CROSSBOW

ARCHERY   KNIFE

ARMOR   MISSILE

ARROW   MJOLNIR

AXE   SHIELD

BATON   SPEAR

BLADE   STRENGTH

BOOSTERS   SWORD

CLAWS   WEAPONS

CLOAK   WINGS

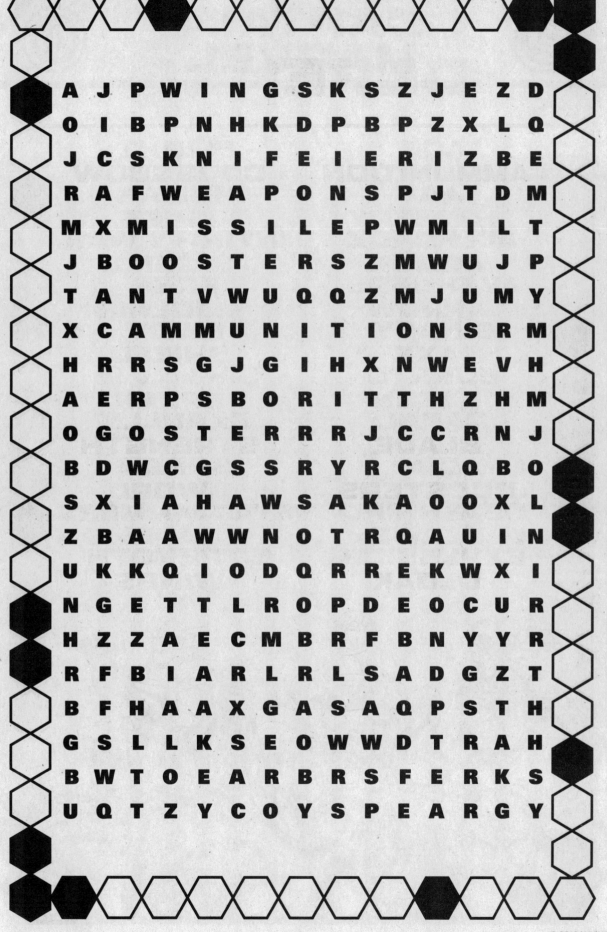

A J P W I N G S K S Z J E Z D
O I B P N H K D P B P Z X L Q
J C S K N I F E I E R I Z B E
R A F W E A P O N S P J T D M
M X M I S S I L E P W M I L T
J B O O S T E R S Z M W U J P
T A N T V W U Q Q Z M J U M Y
X C A M M U N I T I O N S R M
H R R S G J G I H X N W E V H
A E R P S B O R I T T H Z H M
O G O S T E R R R J C C R N J
B D W C G S S R Y R C L Q B O
S X I A H A W S A K A O O X L
Z B A A W W N O T R Q A U I N
U K K Q I O D Q R R E K W X I
N G E T T L R O P D E O C U R
H Z Z A E C M B R F B N Y Y R
R F B I A R L R L S A D G Z T
B F H A A X G A S A Q P S T H
G S L L K S E O W W D T R A H
B W T O E A R B R S F E R K S
U Q T Z Y C O Y S P E A R G Y

CAPTAIN MARVEL

ACE	FLIGHT
AIM	HUMAN
AIR FORCE	INFINITY WAR
AVENGERS	KREE
BINARY	PILOT
BURSTS	S.H.I.E.L.D.
CAROL	SKRULLS
CIA	SPEED
DEATHBIRD	STARJAMMERS
EXPLOSION	STRENGTH

BLACK WIDOW

ARSENAL

ASSASSIN

AVENGER

BITE

ELECTROSHOCK

ENERGY

FEMALE

FIGHT

IRON MAN

KGB

LINGUIST

MARTIAL ARTS

NATASHA

NICK FURY

ROMANOVA

RUSSIAN

S.H.I.E.L.D.

SNIPER

SPY

THOR

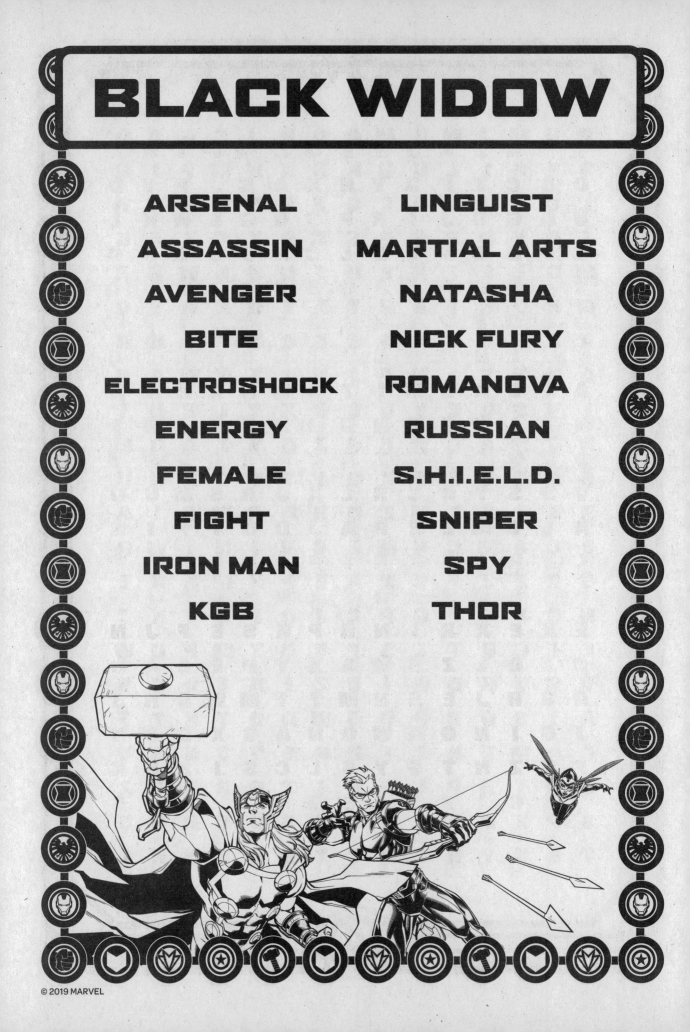

```
T E N E R G Y E Q K M P I H X
D U C T P B Y H X A B J P V D
U D G B J I R P S O G E W K L
L P G S N T U L C X J U C U C
R A N Q P E F U N S O O R H T
O U D E P Y K L R T H G I F Q
M G L H U R C S Z S U X R L C
A I E X R M I T O W O A H I H
N U I N F X N R G H B K J N I
O D H I L E T A V M R C X G R
V D S T O C R L X O R S M U O
A L L M E E P A J D O I P I N
L K H L G K R I B A H L S S M
O J E N Y N O T X N T D R T A
E X E X R I N R P K S E F J N
C V Q L Z S W A X Y P E Z A D
A B R J E S N M T I M W C R J
J G I N G A W Q N A G X G S N
F K Z N T S Y S L C S I S E K
E C O I V S I E M O C H S N B
I C S K A A D N Q U S B A A V
Q R U S S I A N L H Q A L L P
```

HAWKEYE

ACROBAT

AGENT

ARROW

ASSASSIN

ATTACK

AVENGER

BLACK WIDOW

BOW

CLINT BARTON

FIGHT

KATANA

MARKSMAN

MELEE

PROFICIENT

QUIVER

RAMPAGE

RONIN

S.H.I.E.L.D.

SWORD

WEAPON

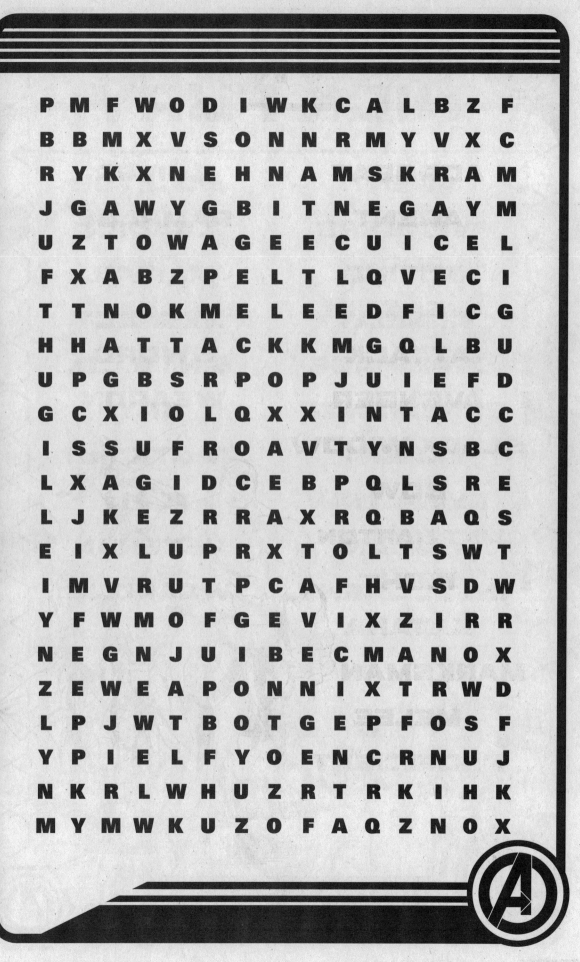

```
P M F W O D I W K C A L B Z F
B B M X V S O N N R M Y V X C
R Y K X N E H N A M S K R A M
J G A W Y G B I T N E G A Y M
U Z T O W A G E E C U I C E L
F X A B Z P E L T L Q V E C I
T T N O K M E L E E D F I C G
H H A T T A C K K M G Q L B U
U P G B S R P O P J U I E F D
G C X I O L Q X X I N T A C C
I S S U F R O A V T Y N S B C
L X A G I D C E B P Q L S R E
L J K E Z R R A X R Q B A Q S
E I X L U P R X T O L T S W T
I M V R U T P C A F H V S D W
Y F W M O F G E V I X Z I R R
N E G N J U I B E C M A N O X
Z E W E A P O N N I X T R W D
L P J W T B O T G E P F O S F
Y P I E L F Y O E N C R N U J
N K R L W H U Z R T R K I H K
M Y M W K U Z O F A Q Z N O X
```

NICK FURY

AGENT	JIU JITSU
AVENGERS	LEADER
BOXING	MARVEL
COMBAT	RESPECT
ESPIONAGE	S.H.I.E.L.D.
EXPERIENCE	SPY
EXPERT	TACTICIAN
EYEPATCH	TEAM
HUMAN	VETERAN
INTELLIGENT	WEAPONS

N B F V H Z Z P R R L Z L M K
M O D L E I H S B L L L C D Z
U X E N X U T A D I V O S B R
G I Z L V V E T E R A N N E D
H N M H Q D T N Z X P I D E Q
V G F S Y E S P I O N A G E V
J E P M A R V E L T E V T H P
X T R O P A N R E L C C A C T
Z V P B P X E L X X H J C T N
A J N E C M L I P C H A T A B
Y J L C Y I X O E G T J I P J
B T L G G P W F R M A B C E I
S S H E P S K H I S B A I Y U
X E N C A K O V E S M E A E J
S T F J A N Q E N W O B N R I
S R E G N E V A C E C E V V T
I T O G G M Y O E A X C G D S
B A G E N T P O P P I X N R U
D V F X Y C J Q E O S I K D T
T C E P S E R R X N O S P Y E
M F W E K F T K Q S K G P A A
B C V R L A T N A M U H K N M

FALCON

ABILITY	MARVEL
AVENGER	MECHANICAL
CAPTAIN AMERICA	PROTECT
DEFENSE	RED SKULL
EMPATH	SAM WILSON
FALCON	SOAR
FIGHT	SPIRIT
FLIGHT	STRENGTH
FLY	WINGS
INSPIRE	WISDOM

WASP

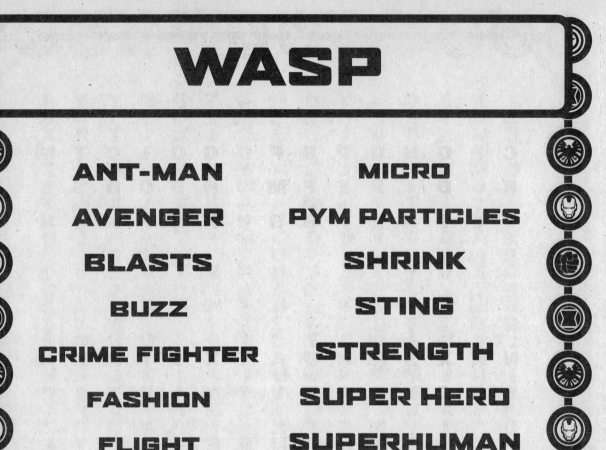

ANT-MAN

AVENGER

BLASTS

BUZZ

CRIME FIGHTER

FASHION

FLIGHT

INSECTS

JANET

LEADER

MICRO

PYM PARTICLES

SHRINK

STING

STRENGTH

SUPER HERO

SUPERHUMAN

TINY

WINGS

ZOOM

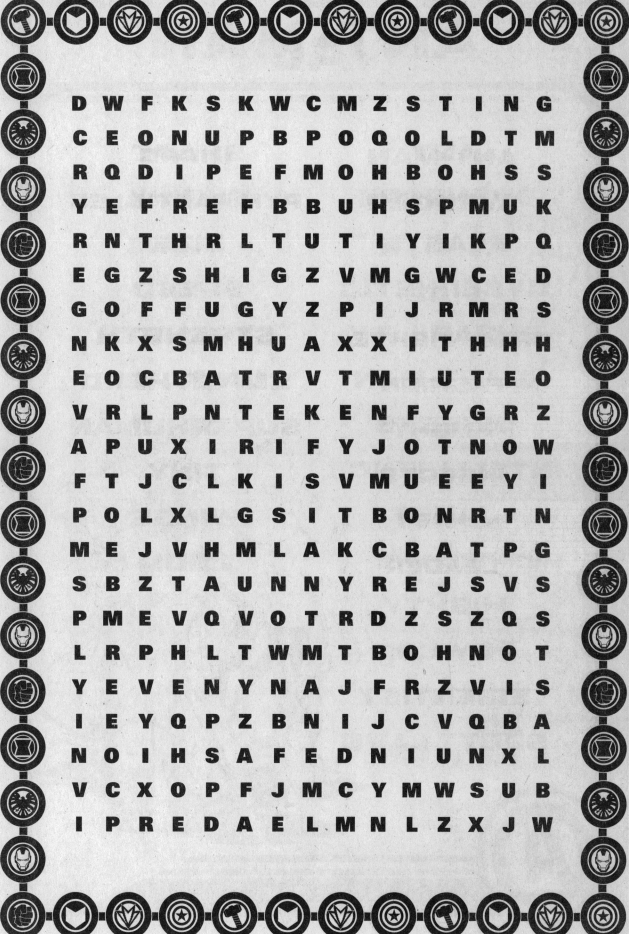

© 2019 MARVEL

ANT-MAN

ANT
AVENGERS
BLASTS
CYBERNETIC
DURABILITY
GIANT-MAN
INSECTS
INTELLIGENCE
JANET
MICROSCOPIC
MIGHTY
POWERS
SCIENTIST
SCOTT LANG

SHAPE
SHRINK
SIZE
SPEED
STRENGTH
UNIFORM

© 2019 MARVEL

DOCTOR STRANGE

ABILITY	MAGIC
AMULET	MYSTICAL
ANCIENT	POWER
AVENGERS	SORCERER
CLOAK	SPELLS
EGOTISTICAL	STEPHEN STRANGE
ENERGY	SURGEON
FLY	TIBET
INTELLIGENCE	TIME
LEVITATION	UNIVERSE

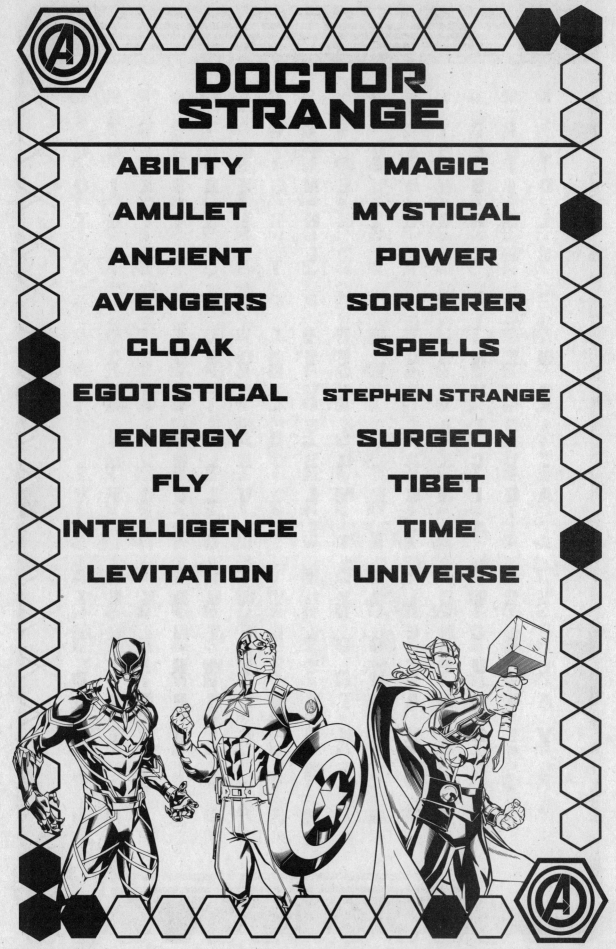

```
P L O P U B O V C T D C X K E
J D E N E D L P T N R R F C G
D I S N A V E N G E R S K I O
L D R O C L H H R I H E T G T
B M E E Q E D E R C M B Z A I
C U V G K L C B A N D B O M S
O E I R A R Q G Q A P N Z O T
N X N U O Q F S F Q S V E Q I
O B U S L Q L V C O P N U W C
I S L A C I T S Y M E M B B A
T V C X A N Q B U R L N V M L
A G I N K P M L O V L U Q F Y
T I A B I L I T Y D S N H W T
I N O P M G A M U L E T V T T
V R W D L U Y H Y W U D K E I
E E C N E G I L L E T N I B M
L Q U P T H L S Y V W R J I E
A E G N A R T S N E H P E T S
V L B T X I K G W G I V Z S C
Q S Q C A R E W O P K L C K Z
K E F Y V X T P K Y G R E N E
T L J G X F D H Y S Y L F I R
```

VISION

ANDROID	HUMANITY
AVENGERS	INTELLIGENT
BEAMS	LIFE
BRAIN	MANIPULATION
COMPUTER	MIND STONE
DENSITY	PHYSICS
DURABLE	POWER
ENERGY	SCARLET WITCH
FIGHT	STRENGTH
FLY	SYNTHETIC

WAR MACHINE

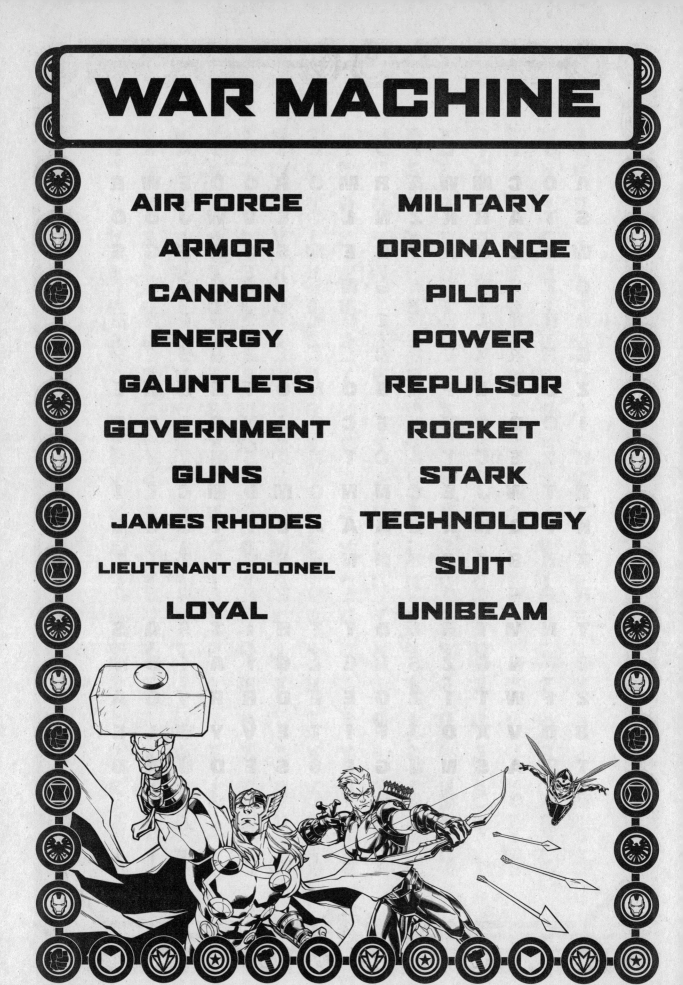

AIR FORCE   MILITARY

ARMOR   ORDINANCE

CANNON   PILOT

ENERGY   POWER

GAUNTLETS   REPULSOR

GOVERNMENT   ROCKET

GUNS   STARK

JAMES RHODES   TECHNOLOGY

LIEUTENANT COLONEL   SUIT

LOYAL   UNIBEAM

```
S U I T L P D Y Z Y P V A R I
A O C M W A R M O R O D E W R
S T A R K Z N L T E V W J D O
W J E J A Y E E M S O A F G S
G Z C N P L G N O P C U C E L
Q K H L Z N T O L I P P E N U
G B R A E O C L L L Z G S E P
Z D O L F N B O N O I B B R E
I O Q C U N E C E J N R L G R
H R E C T A C T N A S H Z Y R
R T W J E C N N G M D M C L I
K F Q N K Z A A A E T I Q E L
K R B S C B N N U S G L Z L T
H M N C O G I E N R P I B B A
T N M T R L D T T H I T S Q S
O H N G Z S R U L O I A I D M
Z F W T I Z O E E D R R V Q A
B D V X O J F I T E V Y W L E
T W A S N U G L S S E D U A B
M G D C M A N Y L T S Q U Y I
C F Y T N E M N R E V O G O N
W Q C Q A I R F O R C E L L U
```

BLACK PANTHER

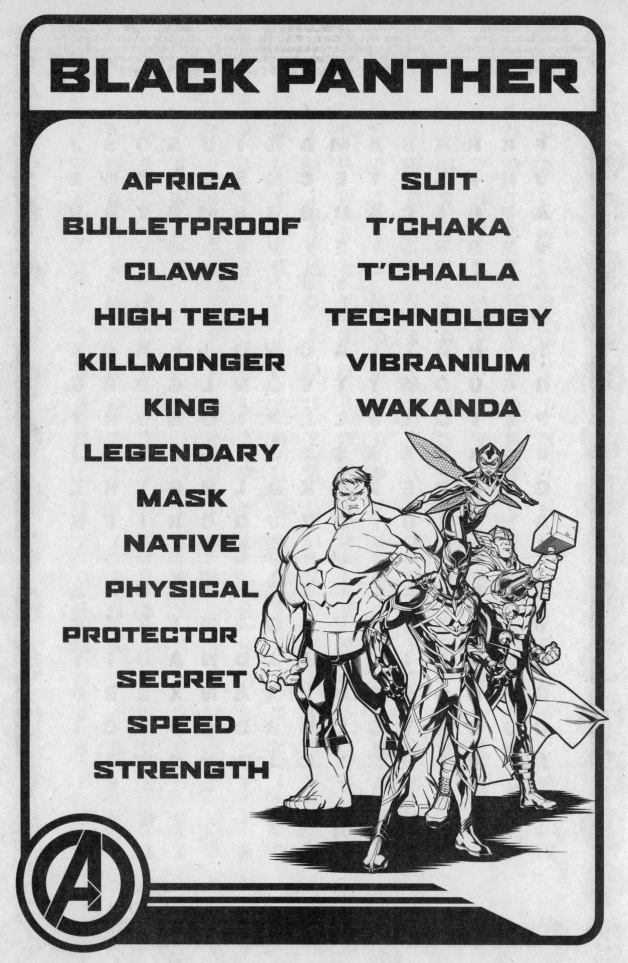

AFRICA

BULLETPROOF

CLAWS

HIGH TECH

KILLMONGER

KING

LEGENDARY

MASK

NATIVE

PHYSICAL

PROTECTOR

SECRET

SPEED

STRENGTH

SUIT

T'CHAKA

T'CHALLA

TECHNOLOGY

VIBRANIUM

WAKANDA

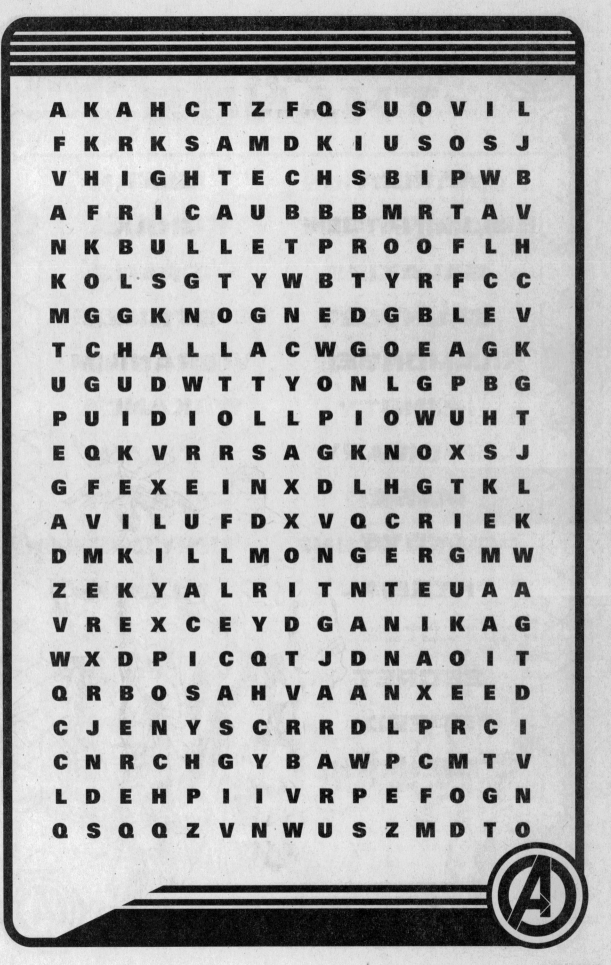

```
A K A H C T Z F Q S U O V I L
F K R K S A M D K I U S O S J
V H I G H T E C H S B I P W B
A F R I C A U B B B M R T A V
N K B U L L E T P R O O F L H
K O L S G T Y W B T Y R F C C
M G G K N O G N E D G B L E V
T C H A L L A C W G O E A G K
U G U D W T T Y O N L G P B G
P U I D I O L L P I O W U H T
E Q K V R R S A G K N O X S J
G F E X E I N X D L H G T K L
A V I L U F D X V Q C R I E K
D M K I L L M O N G E R G M W
Z E K Y A L R I T N T E U A A
V R E X C E Y D G A N I K A G
W X D P I C Q T J D N A O I T
Q R B O S A H V A A N X E E D
C J E N Y S C R R D L P R C I
C N R C H G Y B A W P C M T V
L D E H P I I V R P E F O G N
Q S Q Q Z V N W U S Z M D T O
```

THANOS

DESTRUCTION	RONAN
DOMINATION	SOUL
GALAXIES	SPACE
GAUNTLET	STONES
IMMORTAL	STRONG
INFINITY	TIME
ORB	TITAN
POWER	TYRANT
POWER STONE	UNIVERSE
REALITY	VILLAIN

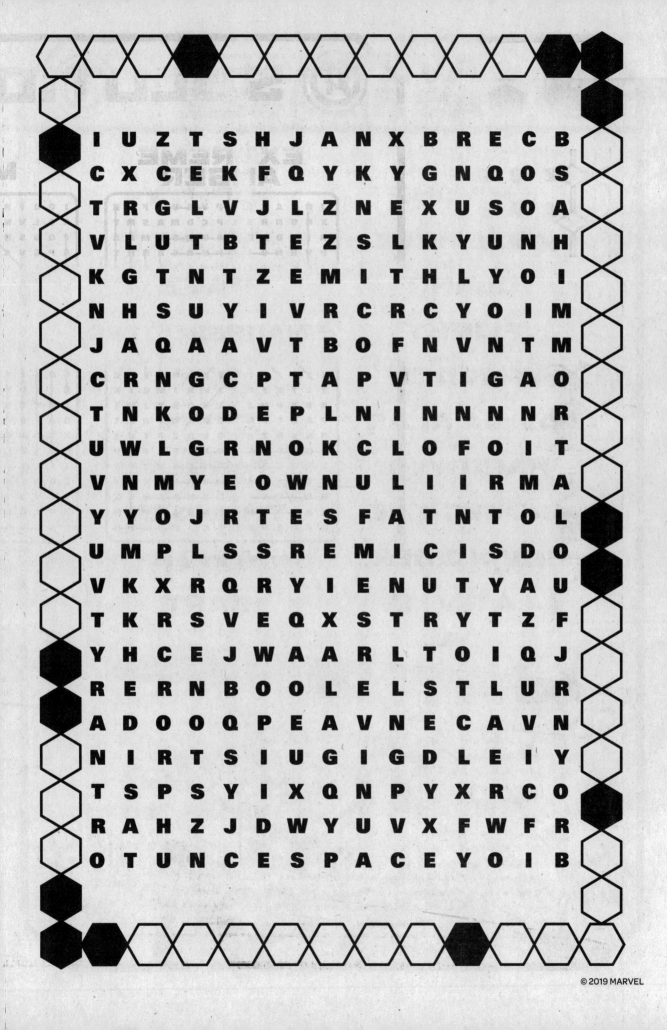

AVENGERS ASSEMBLE

AMAZING

ASSEMBLE

CLANG

FLIGHT

FREEDOM

GAMMA BLAST

HARDWIRE

INCREDIBLE

INVINCIBLE

J.A.R.V.I.S.

MIGHTY

PROJECT

RAGE

SHARPSHOOTER

SPY

STING

TARGET

THUNDER

WINGS

ZAPT

F M B U O A C I U T U O E R Y
A O S H A R P S H O O T E R T
U D T D V H H F F S R F F W H
I E J A R V I S P G X F X U G
B E Y Y Q J H W M K I T N T I
K R V T H S J U P T N H Z W M
Y F P N N P B G I P C G J V L
W A G S S Y M N G S R I O E K
Z G N G G V I A R L E L B F O
Z A I T N O N L L L D F I X X
D M T T I K V C X J I P U B V
J M S I W C I P F Q B Z B A S
B A J E K M N C U Y L N S R I
X B H Y O F C W K D E F N B C
Z L K D S Q I H A R D W I R E
S A P F X G B C F O W A P F R
R S X N V R L T I G O M C J J
U T P R O J E C T D M A W T L
E L B M E S S A Y E E Z B W V
T H U N D E R T B G G I H B Q
T A R G E T Y E A Q F N A W I
L C C Q K E F R R K Q G X K V

GOD OF MISCHIEF

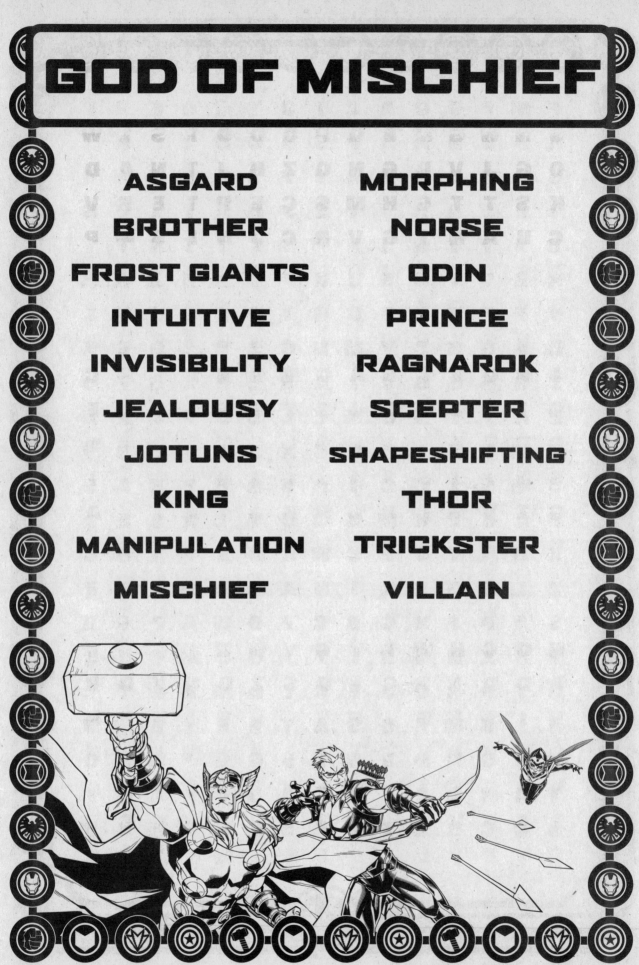

ASGARD

BROTHER

FROST GIANTS

INTUITIVE

INVISIBILITY

JEALOUSY

JOTUNS

KING

MANIPULATION

MISCHIEF

MORPHING

NORSE

ODIN

PRINCE

RAGNAROK

SCEPTER

SHAPESHIFTING

THOR

TRICKSTER

VILLAIN

```
S N W G M E Q P Q D O R S L W
O G J V D G N Q Z H J T N A D
K S T T G H M S C E P T E R V
C U A N I G V R C J N E S M P
A B I I P V W E B R D O H O R
U F N O S X R H M L K O A R I
W E T X B W I T J H G F P P N
I R U Y C B A O M R N N E H C
Q I I S W S J R T C S O S I E
P B T E T A E B L G T I H N N
S N I Z S R A J L U N T I G I
G Z V M C R L R H J A A F K A
R I E I D S O V N A I L T M L
A H T S B N U N Y Z G U I M L
G M R C A U S U F C T P N Y I
N O C H W T Y R Y W S I G T V
A D D I P O L O S Z O N Y D R
R I S E N J P H G D R A U R N
Ö N P F K T Z T Z O F M S A H
K R E T S K C I R T F O D G C
Q L R V B W D Y I G N I K S H
T Y T I L I B I S I V N I A Y
```

BATTLE

ARGUMENT

BLITZ

BRAWL

CHARGE

COMBATIVE

DISPUTE

DISTURBANCE

ENGAGEMENT

FIGHT

HAVOC

MILITANCY

OFFENSIVE

RUMBLE

SCRAP

SCUFFLE

SMASH

SQUABBLE

STRIFE

WAR

WRANGLE

```
H D I L B P W C R A C R Q L K
L J U S S R R X F R Y U I P I
A L Q Z Y N A W U G K M C C V
C B C J T G N W R U N P Z W L
D O H K Z D G S L M K F I R S
M F A U K I L C R E V G C H C
A I R Z U S E R H N G K O R U
H G G X G T Y A E T S D M Q F
A H E W O U U P N H Q I B O F
V T E M N R U Y G F U F A R L
O J A I S B P B A E A D T U E
C L E L M A Z A G C B L I M J
K H I I A N J O E M B O V B G
Z E S T S C P V M A L D E L K
B B F A H E U K E D E G W E A
L S C N W J U O N S H T W A R
I F P C Y E D H T S T R I F E
T W S Y Q K Q S V V M Z E F X
Z H N C V O F F E N S I V E L
J D I S P U T E E K O U C X X
Z O Y J V V K C F P M T Q W A
H O P D U Q A Z U X R E Z T F
```

FEARLESS

ATTACK	LEGEND
AVENGERS	LIFE
DEATH	PLANS
EMPOWER	PREPARE
ENDGAME	SAVE
FEARLESS	TEAM
FORGED	TOGETHER
GOALS	TURMOIL
HEIST	VISION
HERO	WORLD

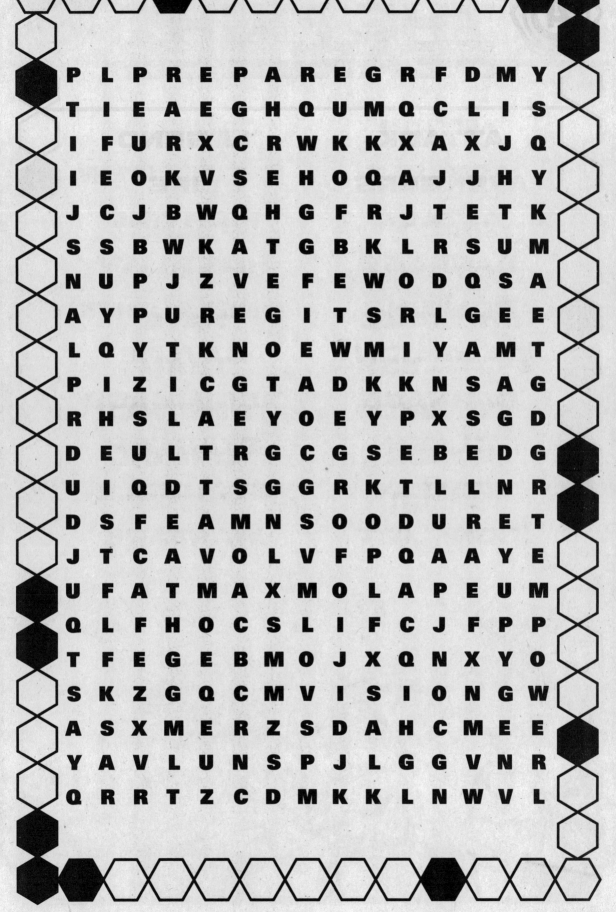

```
P L P R E P A R E G R F D M Y
T I E A E G H Q U M Q C L I S
I F U R X C R W K K X A X J Q
I E O K V S E H O Q A J J H Y
J C J B W Q H G F R J T E T K
S S B W K A T G B K L R S U M
N U P J Z V E F E W O D Q S A
A Y P U R E G I T S R L G E E
L Q Y T K N O E W M I Y A M T
P I Z I C G T A D K K N S A G
R H S L A E Y O E Y P X S G D
D E U L T R G C G S E B E D G
U I Q D T S G G R K T L L N R
D S F E A M N S O O D U R E T
J T C A V O L V F P Q A A Y E
U F A T M A X M O L A P E U M
Q L F H O C S L I F C J F P P
T F E G E B M O J X Q N X Y O
S K Z G Q C M V I S I O N G W
A S X M E R Z S D A H C M E E
Y A V L U N S P J L G G V N R
Q R R T Z C D M K K L N W V L
```

THE FIGHT

ACTION

ASSAULT

ATTACK

BARRAGE

BOMBING

CAMPAIGN

CARNAGE

CLASH

COMBAT

CONFLICT

CRUSADE

ENCOUNTER

FIGHTING

HOSTILITY

ONSLAUGHT

RAVAGE

SCRIMMAGE

SKIRMISH

STRUGGLE

WARFARE

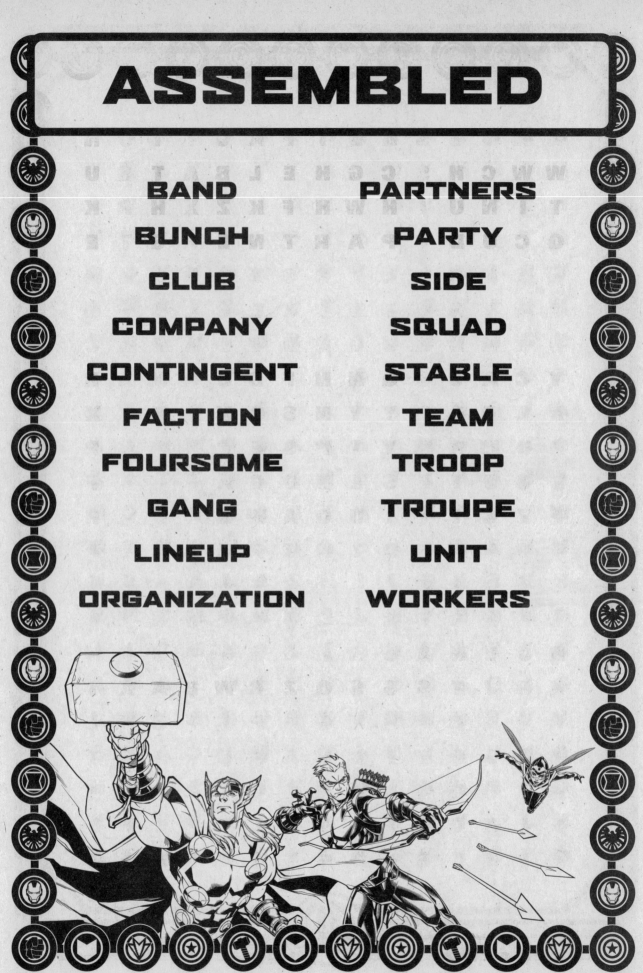

ASSEMBLED

BAND

BUNCH

CLUB

COMPANY

CONTINGENT

FACTION

FOURSOME

GANG

LINEUP

ORGANIZATION

PARTNERS

PARTY

SIDE

SQUAD

STABLE

TEAM

TROOP

TROUPE

UNIT

WORKERS

```
R W D S S K D I F A C T I O N
W W C H S C G H E L B A T S U
T I N U I H W H F K Z X H R K
Q C U D F P A R T N E R S T E
L Z N X O L T S S K D D G H H
C A Y N U Z Y C X E C L D F N
B Q N H R S O N D V O A Q L C
Y C A C S Q N N F B U R M B R
D L P O O Y Y N S Q N O U E X
D U M N M Y T P S E R S P H P
U B O T E S E R D G A E W O F
P Z C I I I U O A W Q O O A R
E P N N K D L N K P R R R D P
T H U G Q E I I Z K T Y N N U
L X X E G Z N C E K F X G Y E
H J E N A U N R Q S T T N R N
K B J T S S S Q Z R W B A X I
R P I B P H K O O P F F G M L
J O D O T F C U A Q S L A W T
N F R Q J V P N G O S E W P U
E L X O S E O Y U E T P J P J
Y L N E S Y D G T B O L K F Z
```

ENEMIES

ANTIHERO

BRUTE

COWARD

CREEP

CRIMINAL

DEVIL

EVILDOER

HEEL

LOWLIFE

MALEFACTOR

MISCREANT

OFFENDER

PROFLIGATE

RAPSCALLION

RASCAL

REPROBATE

SCOUNDREL

SINNER

WRETCH

TERRIBLE

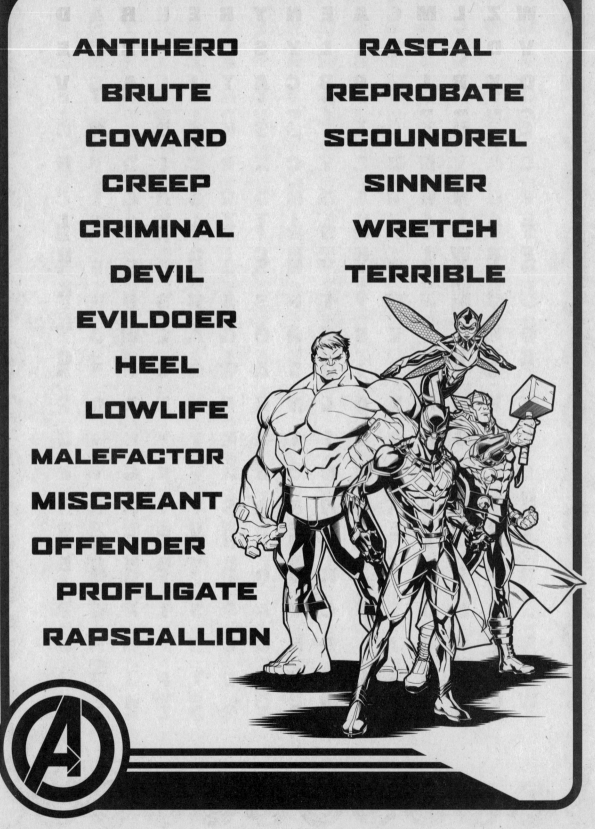

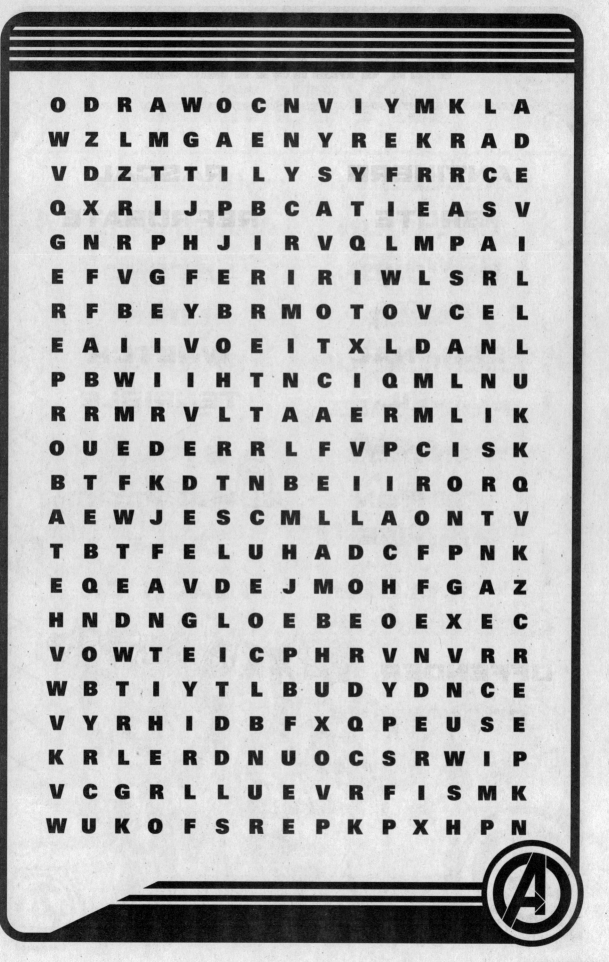

© 2019 MARVEL

MYTHOS

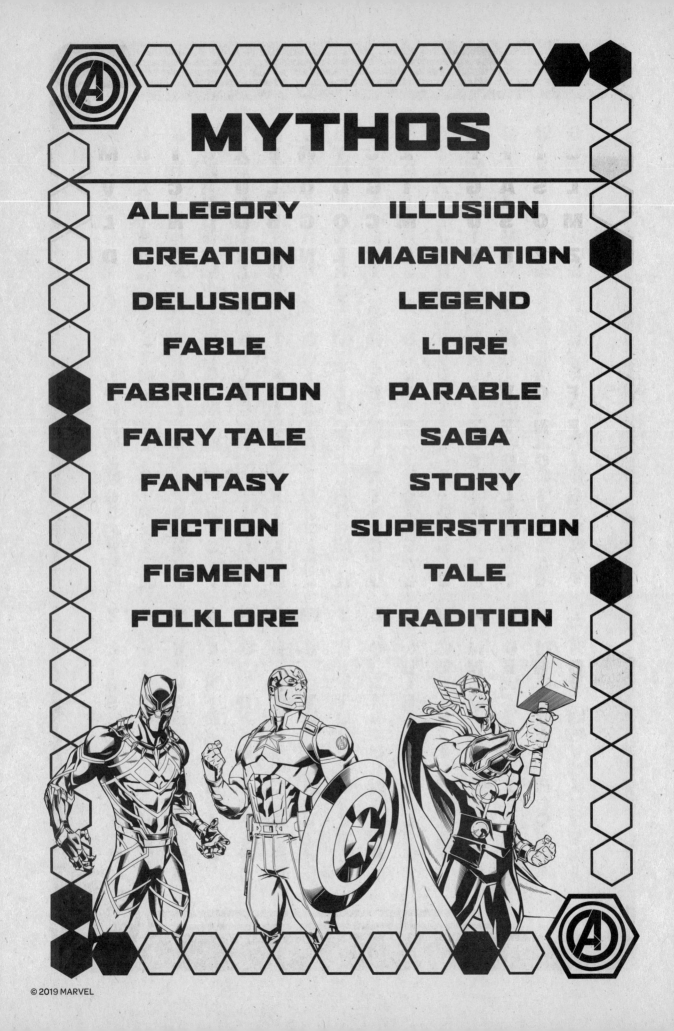

ALLEGORY	ILLUSION
CREATION	IMAGINATION
DELUSION	LEGEND
FABLE	LORE
FABRICATION	PARABLE
FAIRY TALE	SAGA
FANTASY	STORY
FICTION	SUPERSTITION
FIGMENT	TALE
FOLKLORE	TRADITION

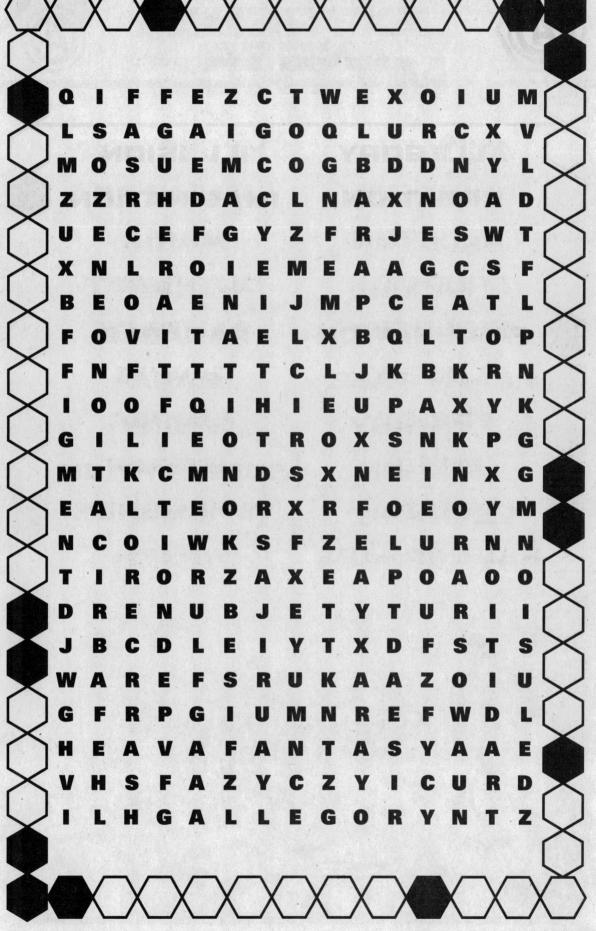

```
Q I F F E Z C T W E X O I U M
L S A G A I G O Q L U R C X V
M O S U E M C O G B D D N Y L
Z Z R H D A C L N A X N O A D
U E C E F G Y Z F R J E S W T
X N L R O I E M E A A G C S F
B E O A E N I J M P C E A T L
F O V I T A E L X B Q L T O P
F N F T T T T C L J K B K R N
I O O F Q I H I E U P A X Y K
G I L I E O T R O X S N K P G
M T K C M N D S X N E I N X G
E A L T E O R X R F O E O Y M
N C O I W K S F Z E L U R N N
T I R O R Z A X E A P O A O O
D R E N U B J E T Y T U R I I
J B C D L E I Y T X D F S T S
W A R E F S R U K A A Z O I U
G F R P G I U M N R E F W D L
H E A V A F A N T A S Y A A E
V H S F A Z Y C Z Y I C U R D
I L H G A L L E G O R Y N T Z
```

EXTREME ANGER

AGITATION

ANIMOSITY

BLUSTER

ERUPTION

EXPLOSION

FEROCITY

FRENZY

FUROR

FURY

HEMORRHAGE

HYSTERICS

MADNESS

MANIA

OUTBURST

RAMPAGE

RAVING

TEMPER

UPROAR

VEHEMENCE

WRATH

J G U A E S F P Y R U F F S H
X N U N H E L P C D M A S M Y
R I V D N M P F U R O R M A S
P V H N O I T P U R E A N N T
J A R O F G E M F Q Z N O I E
H R K B N X G E D B Y I I A R
D E X P R S R W Y T W M S E I
Y R M W U O T Z I N L O O Q C
K B V O C P N V Q I P S L T S
S P U I R E R B A Q O I P O P
T Z T Q R R Y O K D O T X H K
Z Y A F Q P H E A Q N Y E W S
T L F E F U Z A M R I M Q I E
K B X P M J V N G O H X J M I
P A R I P M Q Q O E W T R O T
B N S H Z E F G E D Z F T U S
A G I T A T I O N L S G F T P
Z R V E H E M E N C E M R B E
S G N I Z R A M P A G E X U F
R E P M E T S S E N D A M R X
N R E T S U L B O G I T M S M
D B O A V Q D E G D W R A T H

MAGIC

ALCHEMY

ALLUREMENT

BEWITCHMENT

BLACK ART

CONJURING

ENCHANTMENT

FASCINATION

FOREBODING

ILLUSION

INCANTATION

MAGNETISM

PREDICATION

PROPHECY

SORCERY

SPELL

SUPERSTITION

TABOO

TRICKERY

WITCHCRAFT

WIZARDRY

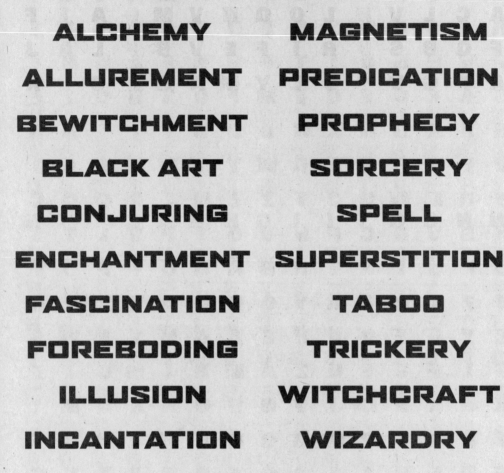

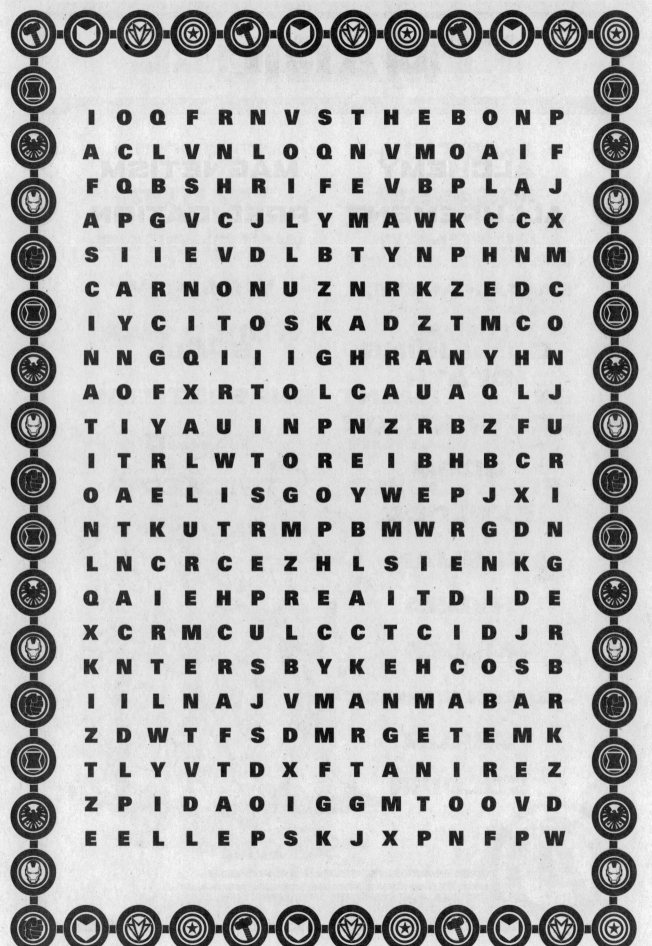

© 2019 MARVEL

RED SKULL

AMBITION

ASSASSIN

BOTCHED

CAPTAIN AMERICA

CRIME

DEATH

DESTRUCTION

DOOM

EXPLODE

GERMAN

HYDRA

KILLER

JOHANN SCHMIDT

SERUM

SOLDIER

TERROR

TRAITOR

WATCHDOGS

WEAPON

WORLD WAR

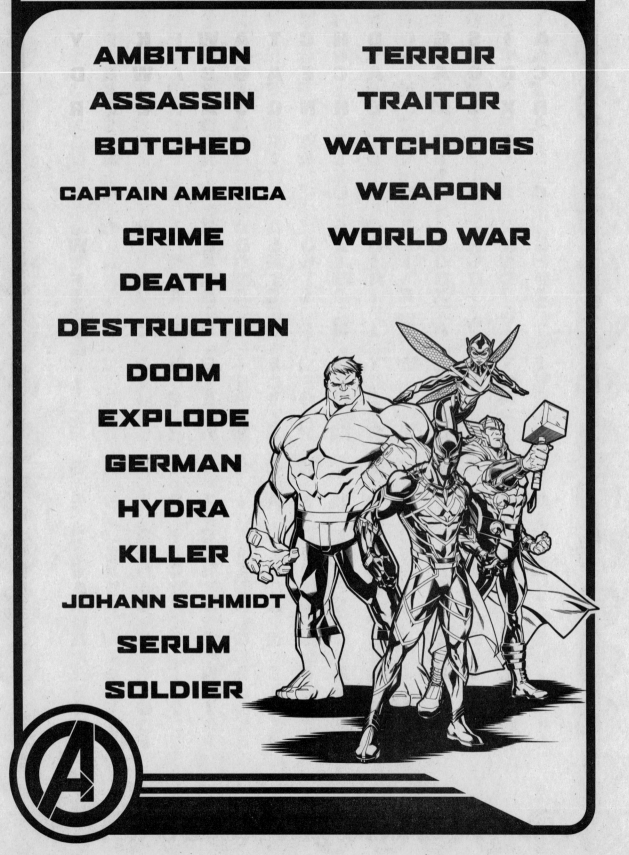

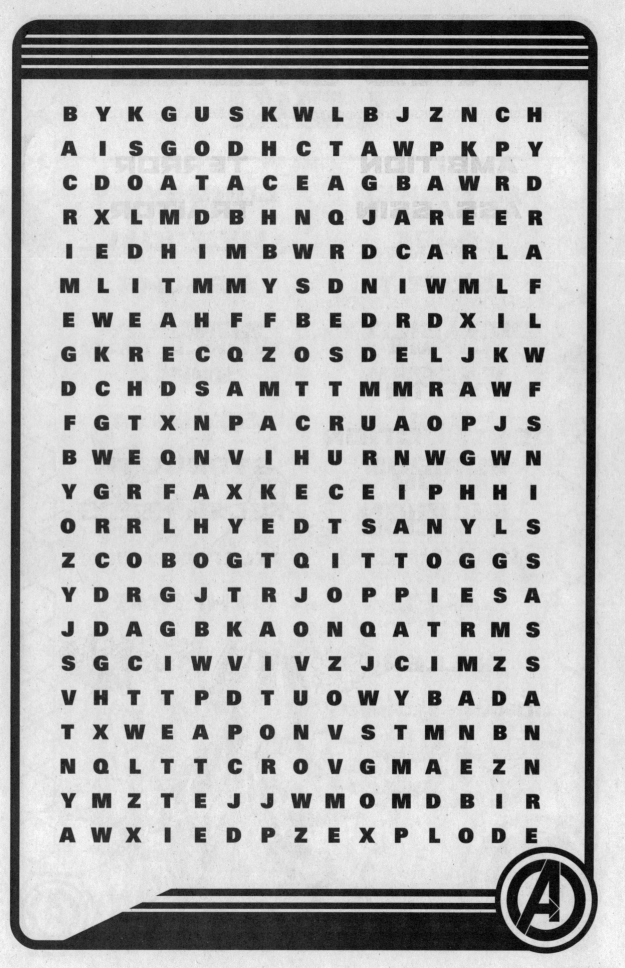

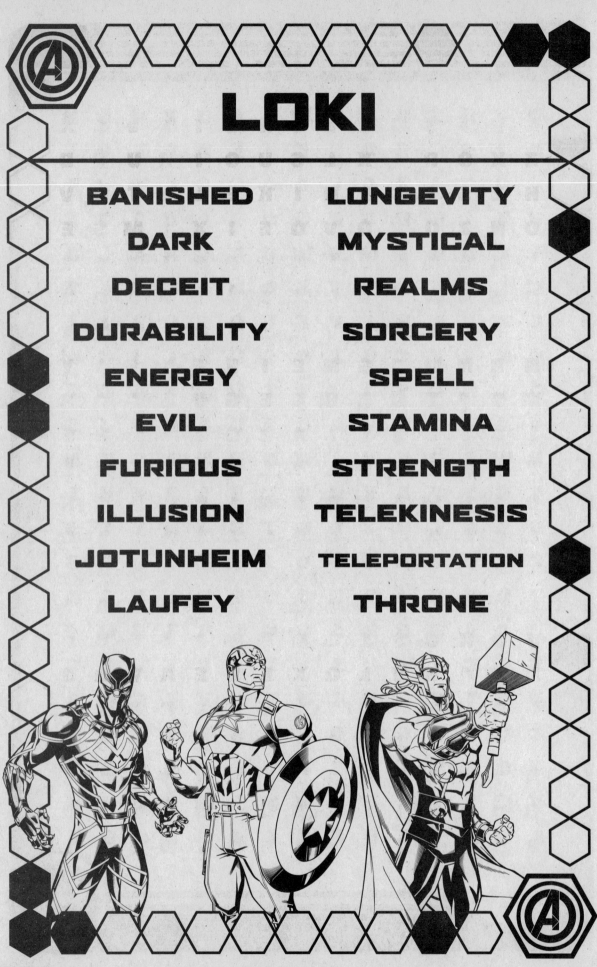

LOKI

BANISHED	LONGEVITY
DARK	MYSTICAL
DECEIT	REALMS
DURABILITY	SORCERY
ENERGY	SPELL
EVIL	STAMINA
FURIOUS	STRENGTH
ILLUSION	TELEKINESIS
JOTUNHEIM	TELEPORTATION
LAUFEY	THRONE

SOLUTIONS

THE HITS

WAKANDA FOREVER

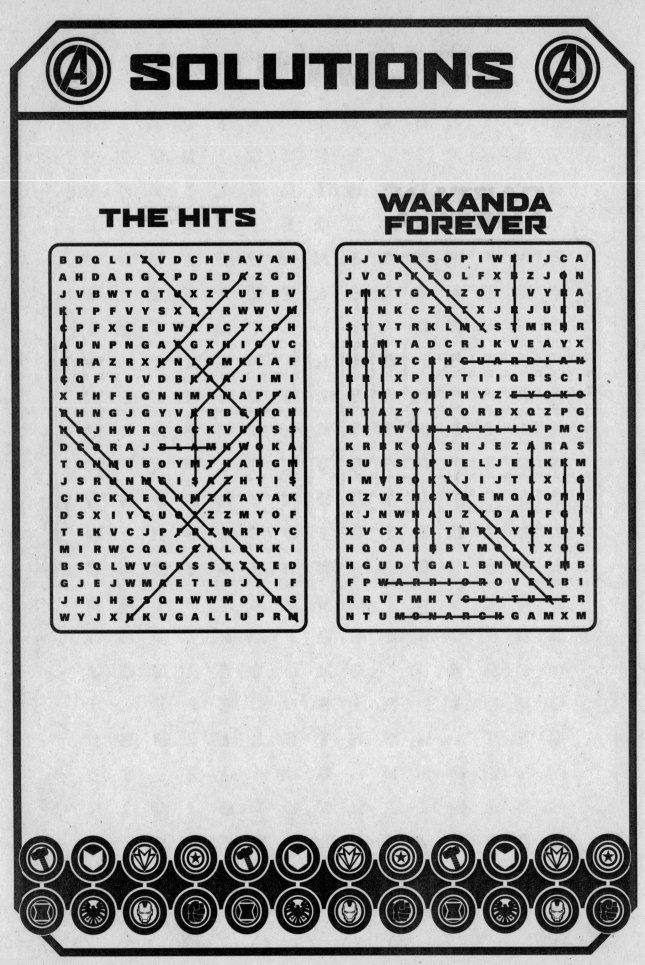

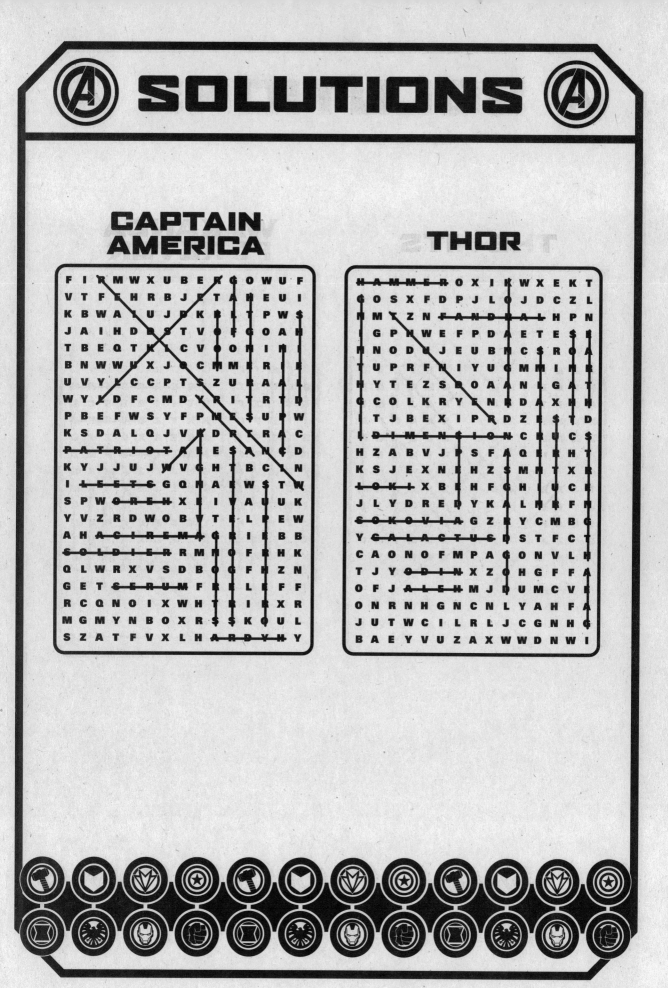

SOLUTIONS

CAPTAIN AMERICA

```
F I R M W X U B E R G O W U F
V T F E H R B J E T A H E U I
K B W A T U R K B L T P W S
J A I H D B S T V O F G O A H
T B E Q T H C V O O M I N I
B N W W U X J B C M M E R I E
U V Y L C C P T S Z U R A A I
W Y L D F C M D Y R I T R T D
P B E F W S Y F P M E S U P W
K S D A L Q J V K D R T R A C
P A T R I O T A R E S A H C D
K Y J J U J W V G H T B C I N
I L E E T S G Q N A E W S T W
S P W O R E H X E I V A U U K
Y V Z R D W O B Y T E L P E W
A H A C I R E M A G R I E B B
S O L D I E R R M M O F R H K
Q L W R X V S D B O G F H Z N
G E T S E R U M F R E L E F F
R C Q N O I X W H T R I R X R
M G M Y N B O X R S S K O U L
S Z A T F V X L H A R D Y H Y
```

THOR

```
H A M M E R O X I K W X E K T
G O S X F D P J L O J D C Z L
M M T Z N F A N D R A L H P N
I G P H W E F P D A E T E S R
M N O D U J E U B M C S R O A
T U P R F N I Y U G M M I R R
H Y T E Z S B O A A N L G A T
G C O L K R Y E N R D A X H H
I T J B E X I P R D Z E S T D
L D I M E N S I O N C R U C S
H Z A B V J P S F A Q E R H T
K S J E X N E H Z S M M T X R
L O K I X B E H F G H U C E
J L Y D R E D Y K A L R E F M
S O K O V I A G Z R Y C M B G
Y G A L A C T U S D S T F C C
C A O N O F M P A G O N V L H
T J Y O D I N X Z O H G F F A
O F J A L E H M J D U M C V E
O N R N H G N C N L Y A H F A
J U T W C I L R L J C G N H G
B A E Y V U Z A X W W D N W I
```

SOLUTIONS

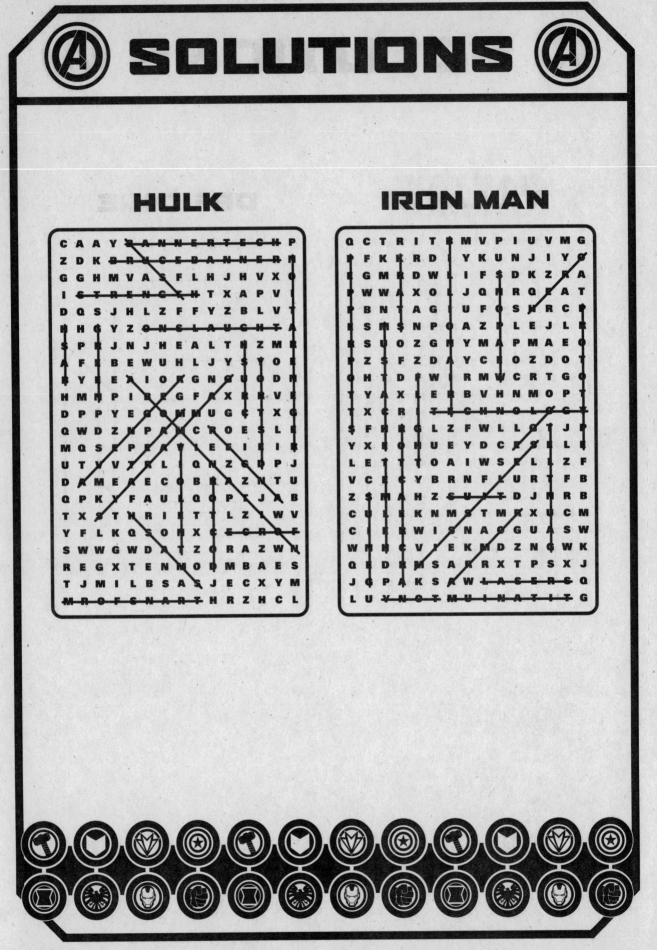

HULK

```
C A A Y B A N N E R T E C H P
Z D K B R U C E B A N N E R M
G G H M V A S F L H J H V X O
I S T R E N G T H T X A P V I
D Q S J H L Z F F Y Z B L V T
H H G Y Z O N S L A U G H T A
S P R J N J H E A L T H Z M R
A F E B E W U H L J Y S Y O E
R Y E X I O R G N Q U O D M
H M M P I R E G F X R R R V E
D P P Y E Q H M H U G C T X G
Q W D Z N P A M C R O E S L E
M Q S E P E A Y L E E I E I R
U T V V Z R L I Q N Z G D P J
D A M E A E C O B R A Z N T U
Q P K Y F A U L Q O P T J A B
T X S T H R I E T T L Z I W V
Y F L K Q S O M X C E C R O F
S W W G W D A T Z O R A Z W N
R E G X T E N M O D M B A E S
T J M I L B S A S J E C X Y M
M R O F S N A R T H R Z H C L
```

IRON MAN

```
Q C T R I T B M V P I U V M G
P F K K R D I Y K U N J I Y Q
E G M R D W L I F S D K Z R A
P W W A X O L J Q M R Q E A T
P B N T A G I U F O S H R C P
S M S N P O A Z P L E J L R
R S U O Z G N Y M A P M A E O
P Z S F Z D A Y C E O Z D O T
O H T D F W I R M W C R T G O
T Y A X L E R B V H N M O P T
T X C R I T E C H N O L O G Y
S F H R G L Z F W L L Q T J P
Y X E O H U E Y D C E S L E
L E T T T O A I W S E L L Z F
V C E C Y B R N F L U R T F B
Z S M A H Z S U I T D J M R B
C U L E K N M S T M R X U C M
C I E R W I S N A O G U A S W
W M M C V I E K M D Z N G W K
Q E D R M S A R R X T P S X J
J Q P A K S A W L A S E R S Q
L U Y N O T M U I N A T I T G
```

© 2019 MARVEL

SOLUTIONS

VILLAINS

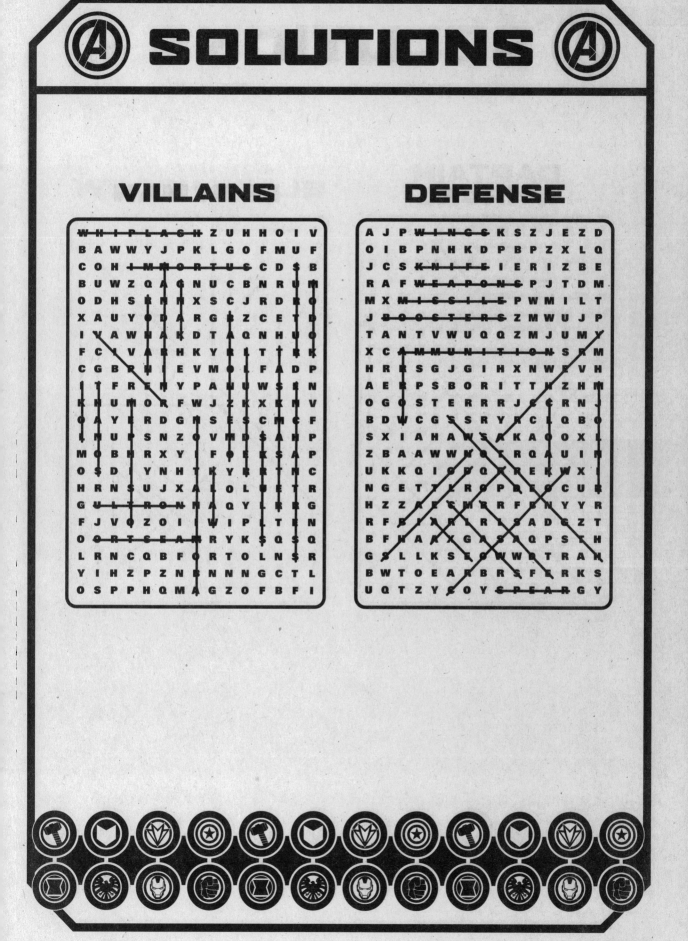

```
W H I P L A S H Z U H H O I V
B A W W Y J P K L G O F M U F
C O H I M M O R T U S C D S B
B U W Z Q A G N U C B N R U M
O D H S R M M X S C J R D R O
X A U Y O D A R G B Z C E T D
I V A W H A K D T A Q N H U O
F C I V A R H K Y R T T T R K
C G B R H E V M O L F A D P
I T F R E N Y P A H U W S E N
K H U M O R F W J Z K X X E N V
O A Y E R D G M S E S C M C F
L M U P S N Z O V M D S A H P
M O B H R X Y I F O L K S A P
O S D I Y N H T K Y R R T M C
H R N S U J X A L O L U E T R
G U L T R O N N A Q Y L R R G
F J V O Z O I I W I P L T E N
O O R T S E A M R Y K S Q S Q
L R N C Q B F O R T O L N S R
Y I H Z P Z N B N N N G C T L
O S P P H Q M A G Z O F B F I
```

DEFENSE

```
A J P W I N G S K S Z J E Z D
O I B P N H K D P B P Z X L Q
J C S K N I F E I E R I Z B E
R A F W E A P O N S P J T D M
M X M I S S I L E P W M I L T
J B O O S T E R S Z M W U J P
T A N T V W U Q Q Z M J U M Y
X C A M M U N I T I O N S R M
H R R S G J G I H X N W E V H
A E R P S B O R I T T H Z H M
O G O S T E R R R J C C R N J
B D W C G S S R Y R C L Q B O
S X I A H A W S A K A O O X L
Z B A A W W N O T R Q A U I N
U K K Q I O D Q T R E K W X I
N G E T T L R O P R E C U R
H Z Z A E S M R R F E N Y Y R
R F B I A R I R I S A D G Z T
B F H A K G A S A Q P S T H
G S L L K S E O W W R T R A H
B W T O E A R B R S F E R K S
U Q T Z Y S O Y S P E A R G Y
```

SOLUTIONS

CAPTAIN MARVEL

```
P B M J W K M A O H J C A B O
Q B S L L U R K S X N M F I P
L C F J Y O C G F A R M R N R
I A Y D E E P S M D X C T A K
M D L E I H S U F O S H W R R
M H D R I B H T A E D N R Y Q
A Z S U S N F U E Q M P L K A
Q N B Y I N F I N I T Y W A R
I V S Q Z Y Q S Q X Y L B H I
H U M R C W B G Z D S Z A D M
S X R Q E E X Q I T C G T N U
R E I A L M Z D R D R M C I A
E C A M C N M E C V J N I W O
G R Z J F V N A E P X M K X X
H O P C E O P C J Q T U Y X I
E F G U T L S F O R T M P U W
Y R U N D G I C Z I A L U G S
A I S O B P B G W D T K T F
C A M E K I I H H S Y S A B V
B O I R P L A A I I D R N V Z
S P E D F O J Q S B U C R O U
T J U Y R T N C Z B Q E N H L
```

BLACK WIDOW

```
T E N E R G Y E Q K M P I H X
D U C T P B Y H X A B J P V D
U D G B J I B P S O G E W K L
L P G S N T U L C X J U C U C
R A N Q R F U N S O O R H T
O U D E P Y K L R T N G I F Q
M G L H U R C S Z S U X R I C
A I E X R M I T Q W O A H I
H U I N F X R I G H B K U T
O D R I L E T A V M R C X G R
V D S T O C K L X O R S M U Q
A L L M E E P A J D O I P I N
L K H L G K R I B A H L S S M
O J E N Y M O T X N T D R T A
E X E X R I N R P K S E F J N
C Y Q L Z S W A X Y P E Z A D
A B R J E S N M I I M W C R J
J G I N G A W Q N A G X G S N
F K Z N T S Y S L C S I S E K
E C O I V S I E M O C H S M B
I C S K A A D N Q U S B A A V
Q R U S S I A N L H Q A L L P
```

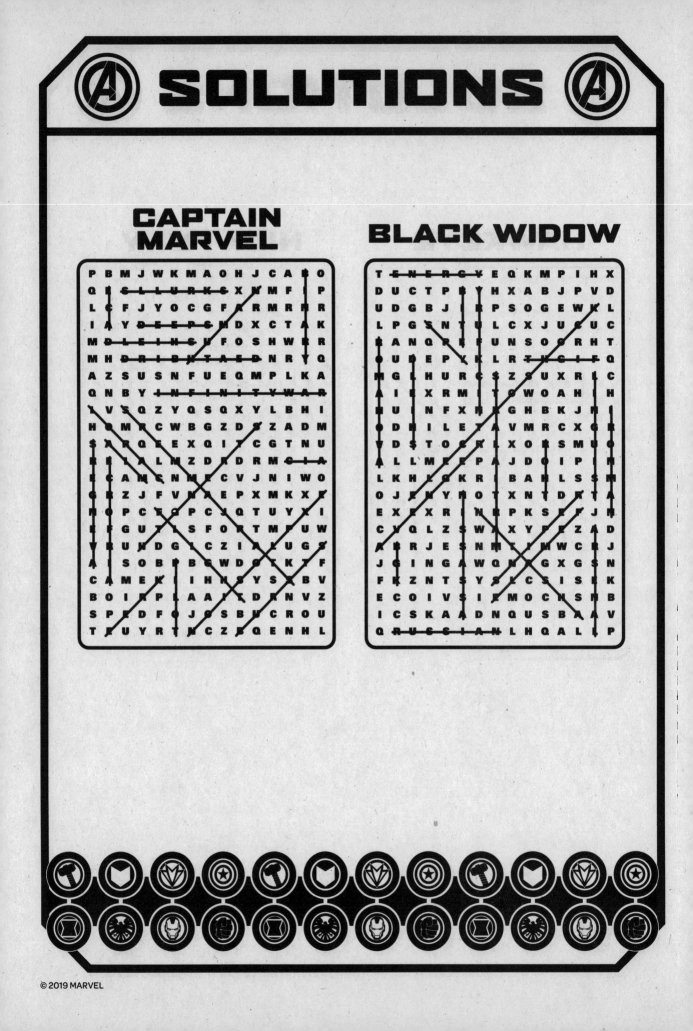

SOLUTIONS

HAWKEYE

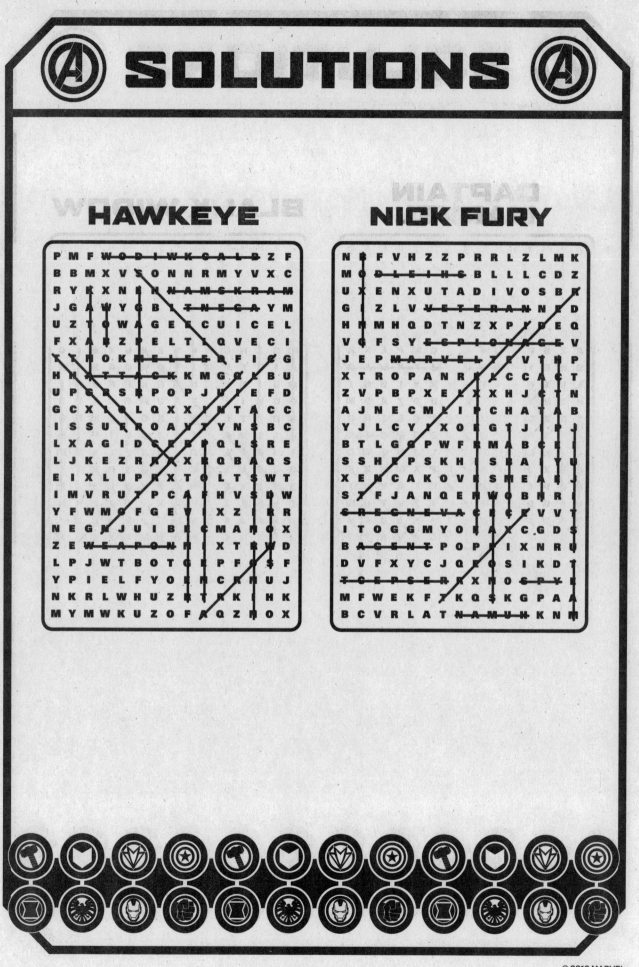

NICK FURY

SOLUTIONS

FALCON

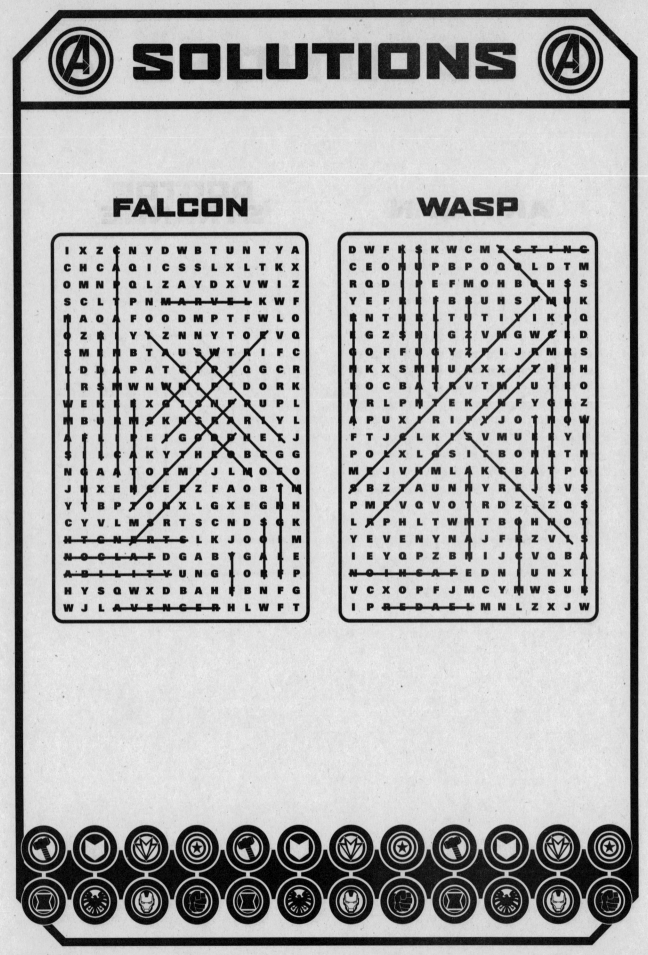

```
I X Z C N Y D W B T U N T Y A
C H C A Q I C S S L X L T K X
O M N P Q L Z A Y D X V W I Z
S C L T P N M A R V E L K W F
M A O A F O O D M P T F W L O
O Z R I Y S Z N N Y T O R V Q
S M M B T A U S W T R I F C
L D D A P A T C I R I Q G C R
I R S M W N W N I F I D O R K
W E K E R X C I S N F R U P L
M B U R M S K N S R A R I Y L
A F L I P E I G O R D H E C J
S I L C A K Y T H E B B C G G
N G A A T O E M F J L M O E O
J H X E H C E E Z F A O B T M
Y T B P T O N X L G X E G H H
C Y V L M S R T S C N D S G K
H T C N E R T S L K J O O I M
N O C L A F D G A B Y G A L E
A B I L I T Y U N G L O R F P
H Y S Q W X D B A H F B N F G
W J L A V E N G E R H L W F T
```

WASP

```
D W F K S K W C M X S T I N G
C E O N U P B P O Q G L D T M
R Q D I P E F M O H B G H S S
Y E F R E F B B U H S F M U K
R N T H R L T U T I Y K P Q
E G Z S H I G Z V M G W C E D
G O F U G Y Z F I J R M R S
M K X S M H U X X I T M H H O
E O C B A T R V T M I U T E O
V R L P N T E K E N F Y G R Z
A P U X I R I F Y J O T M Q W
F T J G L K I S V M U R E Y I
P O L X L Q S I E B O M R T M
M E J V H M L A K C B A T P G
S B Z T A U N H Y R E J S V S
P M E V Q V O T R D Z S Z Q S
L R P H L T W M T B O H N O T
Y E V E N Y N A J F R Z V L S
I E Y Q P Z B N I J C V Q B A
N O I H S A F E D N I U N X L
V C X O P F J M C Y M W S U R
I P R E D A E L M N L Z X J W
```

SOLUTIONS

ANT-MAN

DOCTOR STRANGE

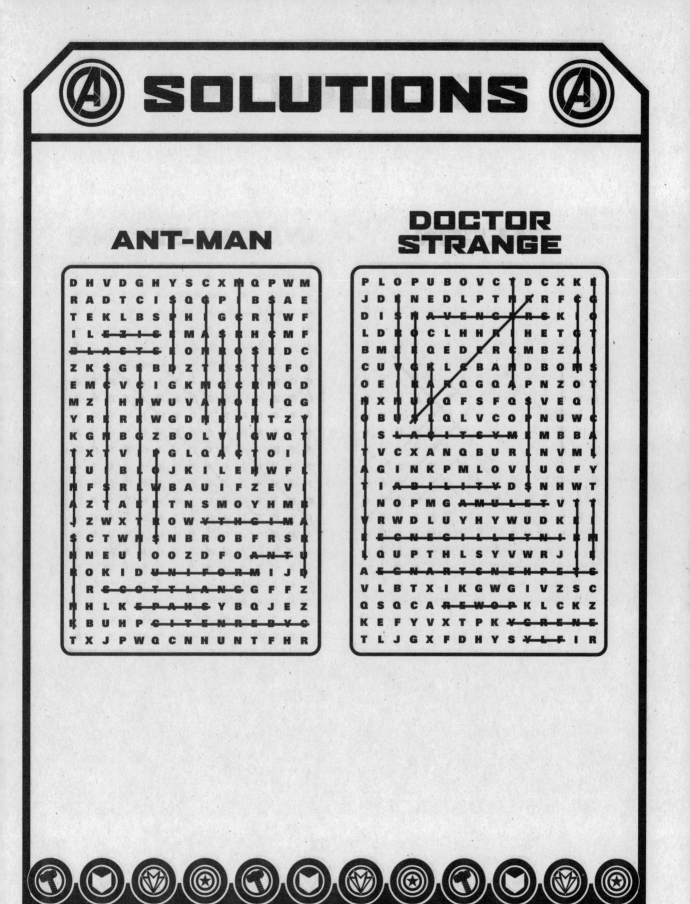

SOLUTIONS

VISION

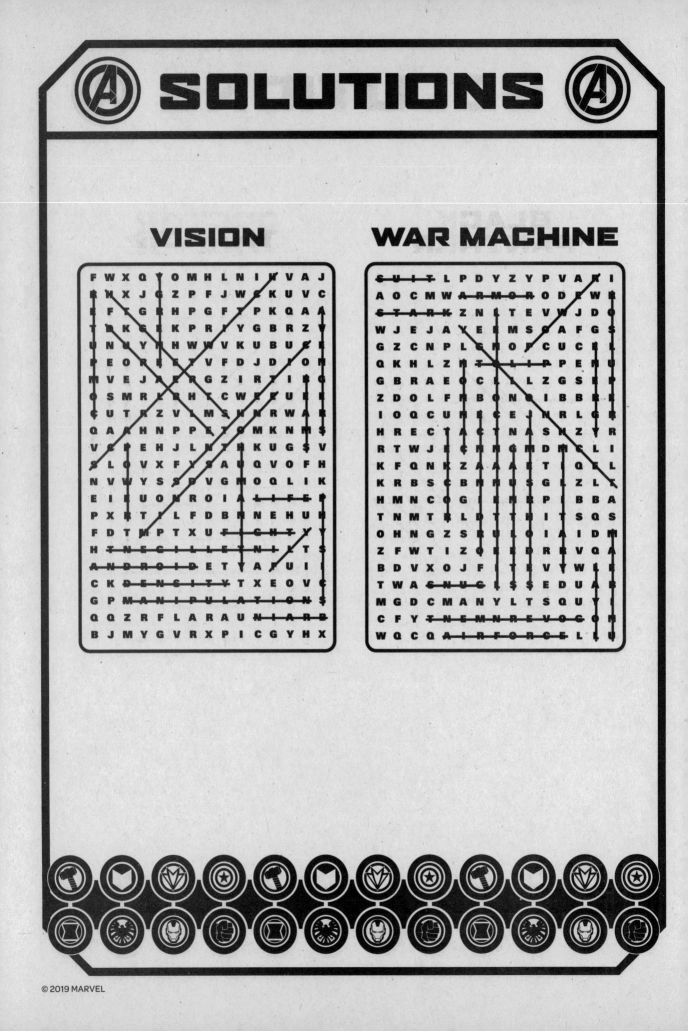

```
F W X Q Y O M H L N I H V A J
R H X J G Z P F J W G K U V C
K F T G R H P G F T P K Q A A
T B K G E K P R Y G B R Z Y
U N U Y T H W W V K U B U G E
P E O R F T V F D J D I O M
M V E J A E R G Z I R T I B G
O S M R L B H I C W E Z U E E
G U T K Z V I M S H N R W A R
Q A K H N P P E T O M K N M S
V G R E H J L N T H K U G S V
S L O V X F Y S A U Q V O F H
N V W Y S S P V G M O Q L I K
E I R U O N R O I A L I F E P
P X R T I L F D B M N E H U H
F D T M P T X U F I G H T Y Y
H T N E G I L L E T N I L T S
A N D R O I D E T Y A U I
C K D E N S I T Y T X E O V C
G P M A N I P U L A T I O N S
Q Q Z R F L A R A U N I A R B
B J M Y G V R X P I C G Y H X
```

WAR MACHINE

```
S U I T L P D Y Z Y P V A K I
A O C M W A R M O R O D E W R
S T A R K Z N L T E V W J D O
W J E J A Y E R M S Q A F G S
G Z C N P L G H O P C U C E L
Q K H L Z H T L I P P E M U
G B R A E O C L L Z G S E P
Z D O L F M B O N O I B B R E
I O Q C U M B E C E J H R L G R
H R E C T A C T N A S H Z Y R
R T W J E H H G D M E L I
K F Q N K Z A A A E T I Q E L
K R B S C B M H U S G L Z L T
H M N C O G I H M R P I B B A
T N M T R L D T T H I T S Q S
O H N G Z S R U L O I A I D M
Z F W T I Z Q E E D R R V Q A
B D V X O J F I T E V Y W L E
T W A S N U G I S S E D U A B
M G D C M A N Y L T S Q U Y I
C F Y T N E M N R E V O G O M
W Q C Q A I R F O R C E L L U
```

SOLUTIONS

BLACK PANTHER

THANOS

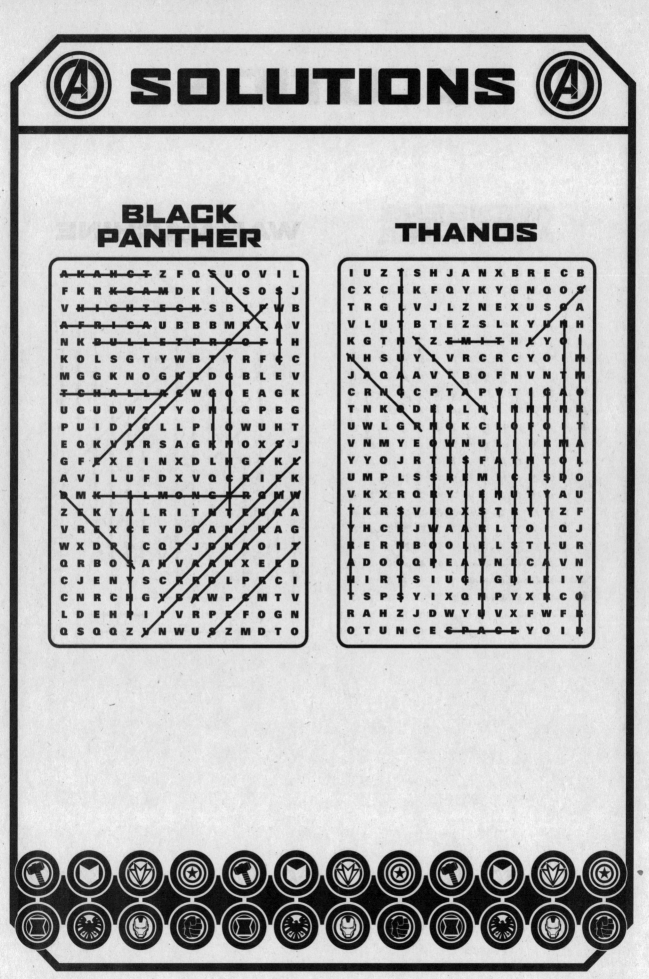

SOLUTIONS

AVENGERS ASSEMBLE

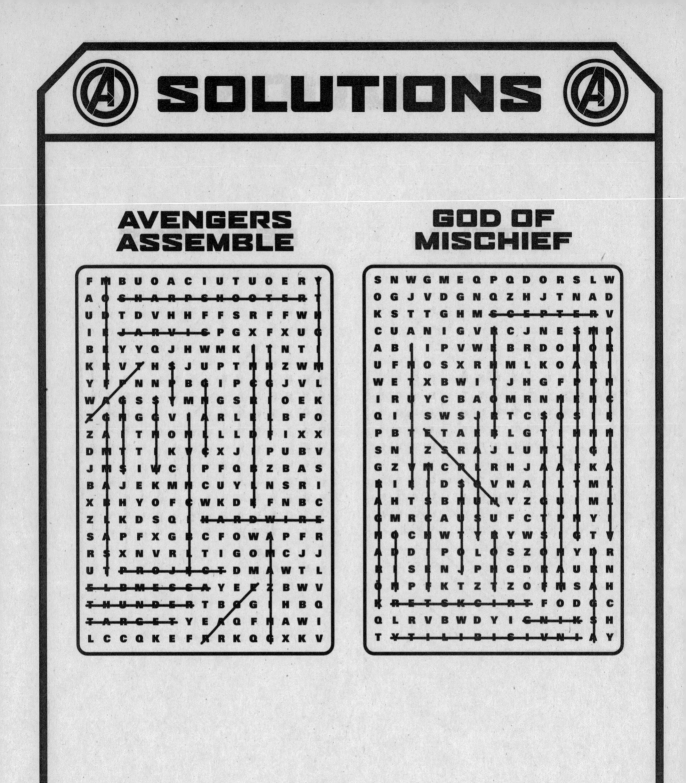

```
F M B U O A C I U T U O E R Y
A O S H A R P S H O O T E R T
U D T D V H H F F S R F F W H
I E J A R V I S P G X F X U G
B E Y Y Q J H W M K I T N T I
K R V T H S J U P T M H Z W M
Y F F N N P B G I P C G J V L
W A G S S Y M N G S R I O E K
Z G N G G V I A R L E L B F O
Z A I T N O M L L D F I X X
D M T T I K V C X J I P U B V
J M S I W C I P F Q B Z B A S
B A J E K M N C U Y L N S R I
X B H Y O F C W K D F F N B C
Z L K D S Q I H A R D W I R E
S A P F X G B C F O W A P F R
R S X N V R L T I G O M C J J
U T P R O J E C T D M A W T L
E L B M E S S A Y E Z Z B W V
T H U N D E R T B G I H B Q
T A R G E T Y E A Q F N A W I
L C C Q K E F X R K Q G X K V
```

GOD OF MISCHIEF

```
S N W G M E Q P Q D O R S L W
O G J V D G N Q Z H J T N A D
K S T T G H M S C E P T E R V
C U A N I G V R C J N E S M P
A B I I P V W E B R D O H O R
U F M O S X R H M L K O A R I
W E T X B W I T J H G F P P M
I R U Y C B A O M R N M E H C
Q I I S W S J R T C S O S I E
P B T E T A E L G T I H H M
S N I Z S R A J L U N T I G
G Z Y M C R L R H J A A F K A
R I R D S U V N A I L T M L
A H T S B M U N Y Z G U I M L
G M R C A U S U F C T P M Y
M O C H W T Y R Y W S I G T V
A D D I P O L O S Z O M Y D R
R I S E N J P H G D R A U R N
O N P F K T Z T Z O F M S A H
K R E T S K C I R T F O D G C
Q L R V B W D Y I C N I K S
T Y T I L I B I S I V N I A Y
```

SOLUTIONS

BATTLE

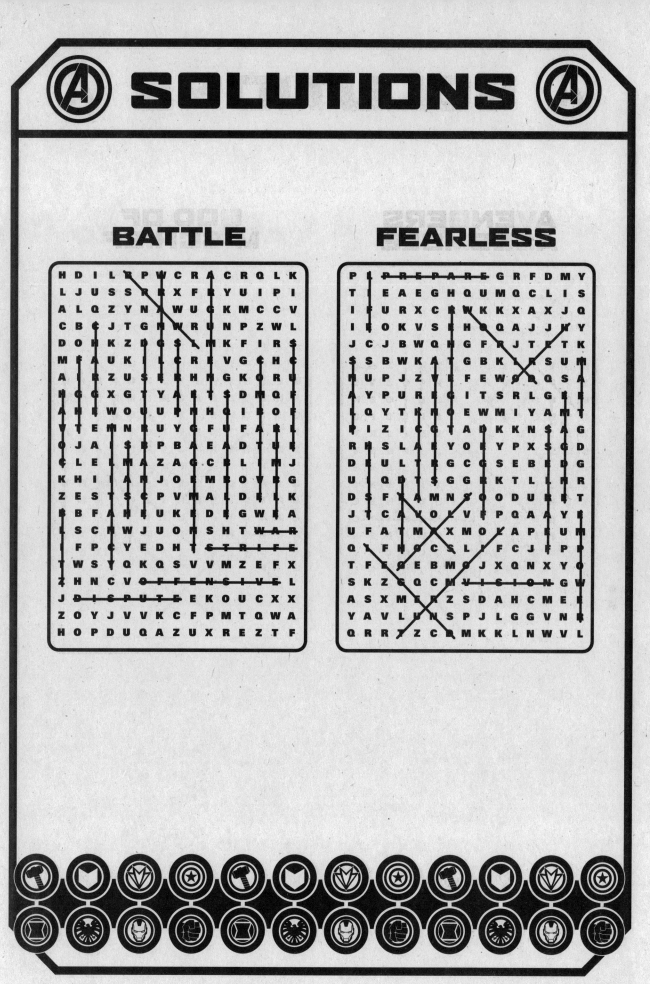

FEARLESS

SOLUTIONS

THE FIGHT

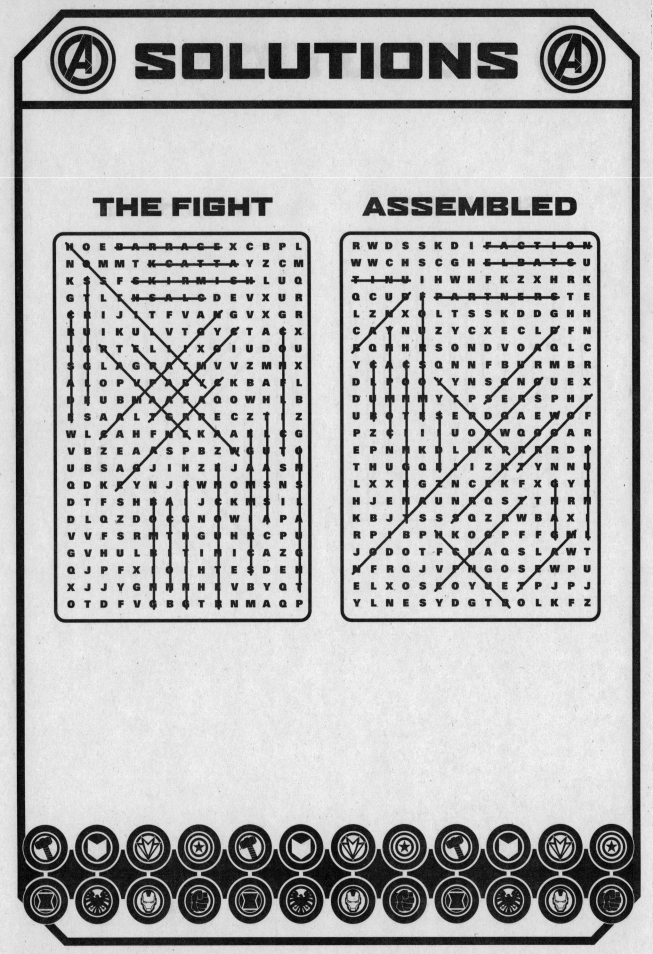

HOEBARRAGEXCBPL
NOMMTKCATTAYZCM
KSSFSKIRMISHLUQ
GTLFHSALCDEVXUR
CRIJITFVANGVXGR
RUIKUIVTCYCTACX
UGRTELIIXCIUDOU
SGLAGRAIMVZMMX
AIOPVFBYCKBAFL
DUUBMAAFAQOWHLB
RSAALTGRRECZTIZ
WLSAHFNEKAABLCG
VBZEAASPBZWCUTO
UBSAQJIHZEJAASM
QDKEYNJFWHOMSNS
DTFSHBAIJCKMSIL
DLQZDOCGNOWIAPA
VVFSRMTHGUHRCPU
GVHULBITIMICAZG
QJPFXIOIHTESDEH
XJJYGNMMHEVBYQT
OTDFVGBGTRNMAQP

ASSEMBLED

RWDSSKDIFACTION
WWCHSCGHELBATSU
TINUIHWHFKZXHRK
QCUDFPARTNERSCT
LZNXOLTSSKDDGHH
CAYNUZYCXECLBFN
BQRHRSONDVOAQLC
YCACSQNNFBURMBR
DLPOOYYNSCNQUEX
DUMMYIPSERSPHP
UROTESERDQAEWOF
PZCIIUOTWQQGAR
EPNMKDLNKRRRRD
THUGQRLIZKTYNNU
LXXEGZNCEKFXGYE
HJEMRUNRQSTMRM
KBJISSSQZRWBAXI
RPIBPHKOQPFFGML
JODOTFCHAQSLRWT
NFRQJVPHGOSEWPU
ELXOSROYUETPJPJ
YLNESYDGTROLKFZ

SOLUTIONS

ENEMIES

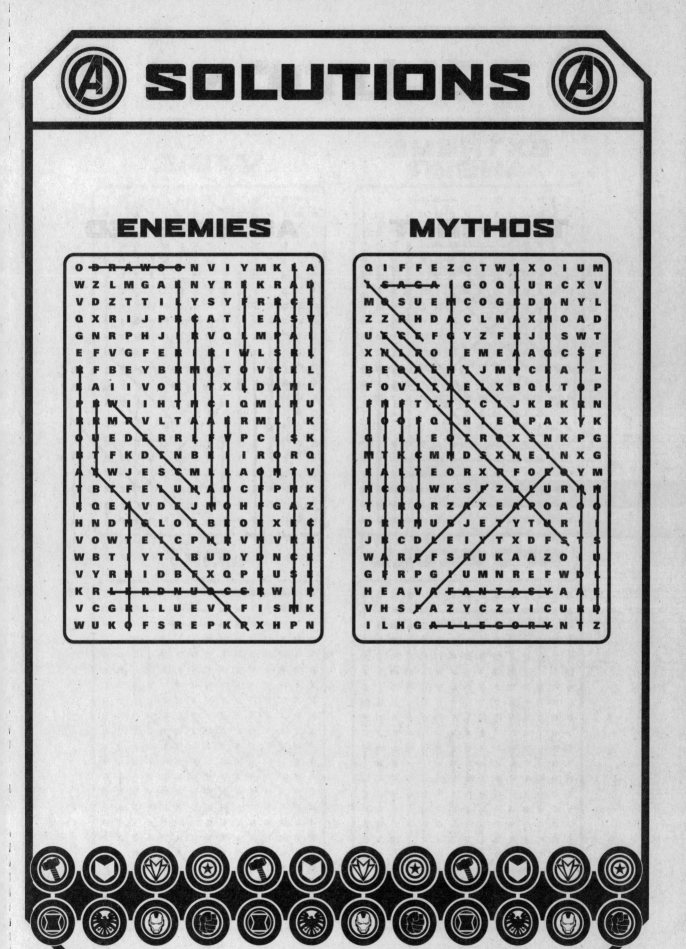

MYTHOS

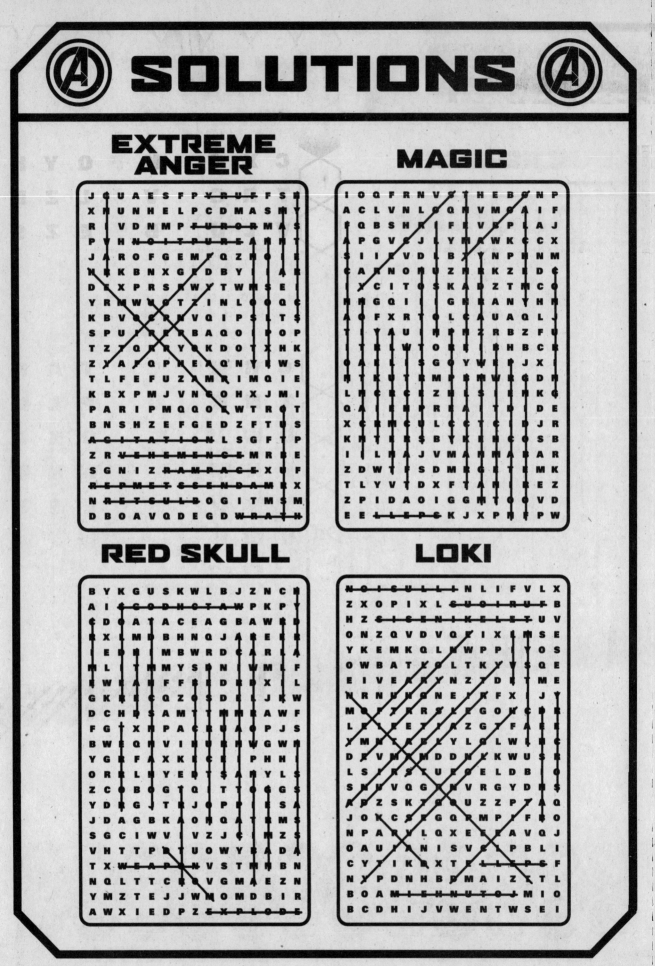

SOLUTIONS

EXTREME ANGER

MAGIC

RED SKULL

LOKI